thèmes & études

collection dirigée par **Bernard Valette**

Lectures méthodiques

Nathalie Albou
Françoise Rio
Anciennes élèves de l'E.N.S.
St Cloud / Fontenay
Agrégées de lettres modernes

ellipses

Crédits bibliographiques

- Michel Leiris, *Le Ruban au cou d'Olympia*, © Éditions Gallimard.
- Claude Lévi-Strauss, *Tristes Tropiques*, © Librairie Plon.
- Jean-Paul Sartre, *Les Mots*, © Éditions Gallimard.

Crédits iconographiques

- Dessin de Sempé, © C. Charillon, Paris.
- Photographie de Henri Cartier-Bresson, Paris, 1932,
  © Cartier-Bresson H. / Magnum Photos.

ISBN 2-7298-4538-0

© ellipses / édition marketing S.A., 1995
32 rue Bargue, Paris (15e).

Avant-propos

Pourquoi consacrer un livre de plus à la lecture méthodique ?

La lecture méthodique a depuis quelques années supplanté la traditionnelle « explication de texte » dans l'enseignement secondaire et supérieur, conformément aux textes officiels publiés en 1987 et 1988 que nous reproduisons dans les pages suivantes. En conséquence, plusieurs ouvrages méthodologiques et pratiques ont déjà été publiés.

Cependant, notre expérience pédagogique dans les classes de lycée, classes préparatoires aux Grandes Écoles et premier cycle universitaire nous a conduites à nous interroger sur les modalités de la mise en œuvre au quotidien de cet exercice. En effet, nous avons constaté que les lycéens et étudiants confrontés à cette pratique rencontrent plusieurs difficultés. Ils possèdent certes des connaissances fragmentaires des outils d'analyse formelle des textes littéraires (par exemple, figures de style ou indices d'énonciation). Mais il leur manque d'une part la capacité de synthèse de ces repérages initiaux, d'autre part l'aptitude à en dégager des effets de sens aboutissant à proposer des pistes d'interprétation et des hypothèses de lecture du texte.

C'est pourquoi notre démarche vise à reconstituer, en les hiérarchisant, les différentes étapes que comporte la lecture méthodique, selon le cheminement suivant :
 • Notre objectif initial a été d'élaborer une grille d'analyse s'efforçant d'être aussi complète que possible, afin de permettre au lecteur de choisir, en fonction du texte proposé et de l'angle de lecture adopté (perspective d'étude de l'œuvre intégrale ou groupement de textes thématique, problématique), les outils méthodologiques adéquats.
 • Nous avons tenté ensuite, à partir d'un corpus représentatif des principaux genres et types de textes couvrant la période du XVIe au XXe siècle de la littérature, essentiellement française, de proposer plusieurs maniements de cette grille d'analyse. Si celle-ci inventorie des procédés récurrents, elle ne se borne pas à un recensement figé et systématique de catégories formelles. Mais elle conduit à élaborer des hypothèses de lectures synthétisées sous la forme d'un plan détaillé qui fait ressortir la spécificité de chaque texte étudié. C'est cette articulation entre le repérage des procédés d'écriture à l'œuvre dans un texte donné et la construction d'un plan interprétatif qui, à nos yeux, constitue la difficulté majeure éprouvée par les lycéens et étudiants.

Chaque chapitre de l'ouvrage s'achève sur un choix de textes complémentaires non étudiés mais assortis de questions préparant une lecture méthodique qui sera construite personnellement.

En outre, la maîtrise de cette démarche de lecture apparaît comme un prélude indispensable à l'épreuve de commentaire composé demandée dans divers examens et concours. Ce dernier exercice fait appel à des règles de composition et de rédaction spécifiques alliées à de plus grandes exigences d'approfondissement.

Des astérisques, gradués de un à trois, signalent le degré de difficulté du texte traité ou proposé en exercice. Toutefois il revient à chaque enseignant ou étudiant de faire son choix en fonction de ses objectifs de travail.

Le chapitre consacré à la lecture méthodique de l'image fixe, volontairement plus sommaire, donne un aperçu d'une démarche d'analyse susceptible d'être transposée dans d'autres domaines que l'écrit.

Introduction

Principes de la lecture méthodique

Ces principes sont directement issus des définitions proposées par les Instructions Officielles de la classe de seconde (février 1987) et de la classe de première (supplément au B.O. n° 22 du 9 juin 1988). **Ils sont confirmés par le Bulletin Officiel n°10 du 28 juillet 1994.** Leur champ d'application s'étend néanmoins au-delà des classes du second cycle : ces principes proposent en effet une démarche fondée sur des procédures spécifiques qui permettent à tout étudiant, lecteur virtuel, quelles que soient son expérience de lecteur et ses connaissances antérieures, d'acquérir des outils d'analyse favorisant une approche autonome de tous les types de textes, littéraires ou non littéraires, voire de l'image fixe. En outre, la maîtrise de ces outils conduit à !'élaboration d'un sens qui donne sa pleine signification à l'acte de lire. C'est pourquoi le rappel des Instructions Officielles nous semble le préalable essentiel à la mise en œuvre d'une démarche d'analyse qui s'efforce d'être aussi large que possible tout en se gardant d'être systématique.

Instructions officielles de la classe de Seconde (février 1987)

- ### *Qu'est-ce qu'une lecture méthodique ?*

C'est une lecture réfléchie qui permet aux élèves d'élucider, de confirmer ou de corriger leurs premières réactions de lecteurs.

Les différents types de textes, littéraires ou non, appellent des méthodes différentes de lecture, qui s'élaborent au cours du travail même. Les exigences d'une lecture méthodique permettent de donner plus de rigueur et plus de force à ce que l'on nomme d'habitude explication.

- ### *Ce qu'elle refuse*

1 – Elle rejette la paraphrase.
2 – Elle ne mime pas, passivement, le développement linéaire du texte.
3 – Elle n'attribue pas à l'auteur, *a priori*, une intention.
4 – Elle ne suppose pas que le contenu et la forme puissent être dissociés.
5 – Elle ne s'enferme pas dans des préjugés esthétiques.

- ### *Ce qu'elle tend à mettre en œuvre*

1 – L'observation objective, précise, nuancée des formes ou des systèmes de formes (grammaire, morphologie et syntaxe ; lexique, champ lexical, champ sémantique ; énoncé et énonciation ; images, métaphores et métonymies ; modalités d'expression, effets stylistiques ; structures apparentes et structures profondes).
2 – L'analyse de l'organisation de ces formes et la perception de leur dynamisme au sein du texte (convergences et divergences).

3 – L'exploration prudente et rigoureuse de ce que ne dit pas, en clair, le texte.

4 – La construction progressive d'une signification du texte à partir d'hypothèses de lecture dont la validité est soigneusement vérifiée.

5 – La constatation, dans une synthèse, de ce qui fait l'unité complexe et profonde du texte ou de l'œuvre en question. L'on ne saurait récuser les réactions personnelles des élèves au terme d'une lecture, mais on leur apprend à motiver et à nuancer leurs jugements.

L'on veille, à chacune de ces étapes, à tenir le plus grand compte de la situation du texte dans son temps et dans son espace propres.

La lecture méthodique tend à mettre en évidence le travail constant et indissociable de la forme et du sens dans le tissu du texte. Si elle doit éviter les excès du formalisme, elle doit aussi se garder de toute imprécision : le professeur de seconde veille à faire acquérir progressivement à ses élèves un vocabulaire exact et pertinent, outil nécessaire de l'analyse.

L'exercice ainsi conçu, qui demande du temps et qui suppose un travail de longue haleine, entraîne les élèves à une plus grande autonomie devant un texte. Le professeur peut, à l'occasion, leur demander d'examiner plus librement et plus rapidement un texte court. Il les incite alors à se poser les questions suivantes : « de quoi s'agit-il ? qui voit ? qui parle ? à qui ? où ? quand ? comment ? ». Ces questions appellent des réponses précises qui s'appuient sur le texte et qui s'organisent peu à peu en vue d'une lecture cohérente. Cette lecture cohérente, en dépit de ses contraintes (temps imparti, examen d'un texte court), n'est pas différente par nature de la lecture méthodique précédemment décrite.

Les exigences d'une lecture méthodique ne doivent pas faire oublier que la rencontre avec les textes littéraires a pour fin d'aiguiser le plaisir de la lecture individuelle et de susciter chez l'élève non seulement une réflexion personnelle, mais l'envie même d'écrire.

Instructions officielles de la classe de Première
(supplément au B.O. N° 22 du 9 juin 1988)

• *La lecture méthodique*

La lecture méthodique, dont les principes ont été définis dans les instructions pour la classe de seconde, est une explication de texte consciente de ses démarches et de ses choix. Sous réserve de respecter le caractère du texte comme tissu, elle peut se présenter sous des modes variés, suivant l'ordre du texte ou selon un ordre plus synthétique. Elle adapte à chacun des genres de discours ou types de textes ses outils d'analyse. Loin de proposer une grille unique pour le déchiffrement de tous les textes, elle tient soigneusement compte de la spécificité de chacun d'eux.

Dans le cas par exemple d'un texte de théâtre (y compris les didascalies), la lecture méthodique n'oublie pas que le théâtre n'est pas seulement un genre littéraire : il est un art du spectacle et une pratique scénique. Le professeur prend en compte les déterminations, structures et modes de fonctionnement propres au discours théâtral ainsi que les procédés spécifiques du langage dramatique. Il peut notamment étudier l'ordre d'entrée en scène des personnages, les rapports de force, la dynamique du jeu, la répartition des espaces de parole, les diverses situations et formes de dialogues, la distribution et l'enchaînement des répliques, la double ou multiple destination de la parole théâtrale, la présence et la fonction des personnages muets, etc.

Dans la lecture méthodique d'un poème, le professeur associe l'analyse précise des procédés de métrique, de versification, de prosodie (et de leurs effets) à celle des thèmes, motifs et images. Il accorde une attention toute particulière au compte des syllabes, aux différents types de vers, à leurs coupes et accents, au jeu des sonorités, au système et au jeu des rimes, au rythme et à l'organisation strophique, au rapport des ensembles métriques et des ensembles syntaxiques. Plus généralement, il conduit les élèves à s'interroger sur les modes d'élaboration d'un langage poétique.

La lecture méthodique d'un texte argumentatif, pour prendre un dernier exemple, met en œuvre les catégories linguistiques (situation de discours, énonciation, thème / propos), rhétoriques, logiques et dialectiques appropriées. Elle ne reproduit pas des énoncés, mais elle analyse l'organisation syntaxique du texte, les modalisations du discours, les moyens rhétoriques d'un art de persuader. Elle n'hésite pas, le cas échéant, à démonter sophismes et paralogismes.

I–La mise en œuvre de la lecture méthodique

A – Objectif initial

• Déterminer la perspective d'étude du texte

– Dans le cadre d'un groupement de textes thématique, problématique ou historique.

– Dans la perspective d'étude d'une œuvre complète.

– Comme extrait détaché, représentant d'un genre, d'un type, ou de procédés d'écriture.

En effet, toute lecture méthodique doit être élaborée en fonction d'objectifs spécifiques qui orientent déjà vers certaines hypothèses de lecture.

• *Exemple*

Aurélien (1944)
Louis Aragon

I

La première fois qu'Aurélien vit Bérénice, il la trouva franchement laide. Elle lui déplut, enfin. Il n'aima pas comment elle était habillée. Une étoffe qu'il avait vue sur plusieurs femmes. Cela lui fit mal augurer de celle-ci qui portait un nom de princesse d'Orient sans avoir l'air de se considérer dans l'obligation d'avoir du goût. Ses cheveux étaient ternes ce jour-là, mal tenus. Les cheveux coupés, ça demande des soins constants. Aurélien n'aurait pas pu dire si elle était blonde ou brune. Il l'avait mal regardée. Il lui en demeurait une impression vague, générale, d'ennui et d'irritation. Il se demanda même pourquoi. C'était disproportionné. Plutôt petite, pâle, je crois... Qu'elle se fût appelée Jeanne ou Marie, il n'y aurait pas repensé, après coup. Mais Bérénice. Drôle de superstition. Voilà bien ce qui l'irritait.

Il y avait un vers de Racine que ça lui remettait dans la tête, un vers qui l'avait hanté pendant la guerre, dans les tranchées, et plus tard démobilisé. Un vers qu'il ne trouvait même pas un beau vers, ou enfin dont la beauté lui semblait douteuse, inexplicable, mais qui l'avait obsédé, qui l'obsédait encore :

Je demeurai longtemps errant dans Césarée...

Ce début de roman peut être abordé sous différents angles d'étude :

– Dans le cadre d'un groupement de textes thématique autour de « la rencontre amoureuse » : l'évocation de la première rencontre entre Aurélien et Bérénice déjoue les attentes traditionnelles du lecteur. Loin d'éprouver un coup de foudre pour Bérénice, Aurélien se montre déçu en mesurant sévèrement l'écart entre le prénom prestigieux de la jeune femme et son apparence jugée banale.

– Dans le cadre d'un groupement de textes problématique, on comparera cet incipit à d'autres « débuts de romans ».

– Dans la perspective d'une étude d'œuvre complète, le début d'*Aurélien* pourra s'intégrer dans l'étude des différents types de narration romanesque : le texte repose sur une ambiguïté habilement ménagée entre la narration à la troisième personne et la focalisation interne. Le romancier brouille encore davantage les cartes en insérant une phrase de discours direct à la première personne sans la ponctuation d'usage : « Plutôt petite, pâle, je crois… »

– Dans la perspective d'une approche centrée sur des procédés d'écriture particuliers : on étudiera par exemple l'insertion du discours indirect libre à l'intérieur du récit (« Les cheveux coupés, ça demande des soins constants » entre autres occurrences), qui constitue l'une des spécificités du roman moderne (à comparer, par exemple, avec des extraits de romans de Flaubert, Céline, Duras, Sarraute…).

B – Observation du paratexte

Quelles pistes induisent les données préalables : date, auteur, et éventuellement préface et pages de couverture, titre et table des matières… ?

Exemple : étude du titre, du sous-titre et de la table des matières de *Candide ou l'Optimisme*, Voltaire (1759).

Candide, ou l'Optimisme traduit de l'allemand par monsieur le docteur Ralph.

Telle est l'inscription figurant sur la page de titre de l'édition originale de 1759.

La mention « traduit de l'allemand… » répond à une double intention de l'auteur : déjouer la censure politique et lancer un clin d'œil ironique au lecteur. En effet, le titre « Monsieur le docteur Ralph » est volontairement pédant, tandis que la référence à l'Allemagne se justifie par la critique de la philosophie de Leibniz développée dans le conte.

La confrontation du titre et du sous-titre crée des attentes de lecture. Le titre *Candide* renvoie au héros éponyme et a valeur de nom-portrait : si, au sens étymologique, l'adjectif qualifie un homme sincère, de bonne foi, il se charge au XVIIIe siècle d'une valeur critique en désignant un personnage crédule, naïf. En conséquence, le sous-titre prend d'emblée une dimension ironique et polémique : ne faut-il pas être candide pour croire à l'optimisme ? Question d'actualité, puisque le débat sur l'optimisme est au cœur de la philosophie des Lumières.

Table des matières

(Les titres des dix premiers chapitres de *Candide* (composé de trente chapitres))

• Analyse de la formulation des titres

– Les énoncés évoquent un récit d'aventures, riche en péripéties et rebondissements, propre à éveiller la curiosité du lecteur.

– Les formulations telles que « ce que devint / ce qui advint » annoncent des événements à venir sans pour autant en dévoiler la nature ; d'autres titres, en revanche, annoncent le dénouement du chapitre (ex : chap. I), ce qui suggère que l'enjeu romanesque du conte est secondaire.

– Certains titres mettent en lumière la dimension satirique, essentielle, du conte (le titre du chapitre VI, par exemple, comporte une expression antiphrastique — « bel autodafé » — et suggère une causalité absurde).

– La table des matières présente la thématique de l'œuvre : événements catastrophiques, déboires du héros, amorçant la critique de l'optimisme.

– D'autres titres, au-delà du chapitre X, esquissent la topographie fort variée du conte et les différents types de récits qui composent celui-ci (dialogues, récits enchâssés — ex : « Histoire de Cunégonde »…).

HYPOTHÈSE DE LECTURE : l'analyse du titre et de la table des matières montre que la dimension ironique et ludique de *Candide* est au service d'un discours satirique et d'une critique philosophique.

Exercice

Analyse du titre, du sous-titre et de la préface du cycle *Les Rougon-Macquart* de Zola :

Les Rougon-Macquart (1871-1893)
Histoire naturelle et sociale d'une famille sous le Second Empire
Émile Zola

PRÉFACE

Je veux expliquer comment une famille, un petit groupe d'êtres, se comporte dans une société, en s'épanouissant pour donner naissance à dix, à vingt individus, qui paraissent, au premier coup d'œil, profondément dissemblables, mais que l'analyse montre intimement liés les uns aux autres. L'hérédité a ses lois, comme la pesanteur.

Je tâcherai de trouver et de suivre, en résolvant la double question des tempéraments et des milieux, le fil qui conduit mathématiquement d'un homme à un autre homme. Et quand je tiendrai tous les fils, quand j'aurai entre les mains tout un groupe social, je ferai voir ce groupe à l'œuvre, comme acteur d'une époque historique, je le créerai agissant dans la complexité de ses efforts, j'analyserai à la fois la somme de volonté de chacun de ses membres et la poussée générale de l'ensemble.

Les Rougon-Macquart, le groupe, la famille que je me propose d'étudier, a pour caractéristique le débordement des appétits, le large soulèvement de notre âge, qui se rue aux jouissances. Physiologiquement, ils sont la lente succession des accidents nerveux et sanguins qui se déclarent dans une race, à la suite d'une première lésion organique, et qui déterminent, selon les milieux, chez chacun des individus de cette race, les sentiments, les désirs, les passions, toutes les manifestations humaines, naturelles et instinctives, dont les produits prennent les noms convenus de vertus et de vices. Historiquement, ils partent du peuple, ils s'irradient dans toute la société contemporaine, ils montent à toutes les situations, par cette impulsion essentiellement moderne que reçoivent les basses classes en marche à travers le corps social, et ils racontent ainsi le Second Empire, à l'aide de leurs drames individuels, du guet-apens du coup d'État à la trahison de Sedan.

Depuis trois années, je rassemblais les documents de ce grand ouvrage, et le présent volume était même écrit, lorsque la chute des Bonaparte, dont j'avais besoin comme artiste, et que toujours je trouvais fatalement au bout du drame, sans oser l'espérer si prochaine, est venue me donner le dénouement terrible et nécessaire de mon œuvre. Celle-ci est dès aujourd'hui complète ; elle s'agite dans un cercle fini ; elle devient le tableau d'un règne mort, d'une étrange époque de folie et de honte.

Cette œuvre, qui formera plusieurs épisodes, est donc, dans ma pensée, l'Histoire naturelle et sociale d'une famille sous le Second Empire. Et le premier épisode : *La Fortune des Rougon*, doit s'appeler de son titre scientifique : *Les Origines*.

Paris, le 1er juillet 1871.

❶ Dégagez la progression de l'argumentation de l'auteur.
❷ Montrez comment la préface explicite les enjeux du cycle romanesque annoncés par le titre et le sous-titre : la triple détermination « race, milieu, moment » qui régit, selon Zola, la vie d'un individu.

C – Identification du texte

Sur quels indices se fonder pour déterminer l'appartenance du texte à un genre répertorié (roman, autobiographie, théâtre, poésie versifiée ou non, essai) ? Les caractéristiques de chaque genre seront explicitées dans les chapitres correspondants. La détermination du type est parfois moins immédiate. Si elle est évidente pour certains textes, elle peut aussi supposer une étude plus approfondie. On parlera ainsi de dominantes narratives, descriptives, argumentatives, dialogiques, qui peuvent se combiner ou se relayer à l'intérieur d'un même texte.

La disposition typographique du texte sera également prise en compte.

Cette première caractérisation du texte va orienter partiellement le choix d'outils d'analyse spécifiques.

D – Outils d'analyse

N.B. : L'ordre adopté dans cette section théorique peut être modifié en fonction du texte étudié.

1 – Structure

On appellera « structure » d'un texte d'une part la disposition typographique (découpage en paragraphes pour un texte en prose ; en strophes ou en groupements de vers pour un poème), d'autre part les différentes unités syntaxiques et sémantiques. Il peut y avoir concordance ou discordance entre ces deux types de structure.

Ces deux types de structure du texte peuvent apparaître clairement lors d'une première approche. Cependant, la structure de certains textes n'est repérable qu'au terme d'une étude mobilisant d'autres outils.

La composition du texte peut suggérer des hypothèses de lecture et conduire à l'élaboration d'un plan d'étude.

- • *Exemple*

> ### *Les Antiquités de Rome* (1558) (sonnet 14)
> #### Joachim Du Bellay
>
> Comme on passe en été le torrent sans danger
> Qui soulait en hiver être roi de la plaine,
> Et ravir par les champs d'une fuite hautaine
> L'espoir du laboureur, et l'espoir du berger ;
>
> Comme on voit les couards animaux outrager
> Le courageux lion gisant dessus l'arène,
> Ensanglanter leurs dents, et d'une audace vaine
> Provoquer l'ennemi qui ne se peut venger ;
>
> Et comme devant Troie on vit des Grecs encor
> Braver les moins vaillants autour du corps d'Hector ;
> Ainsi ceux qui jadis soulaient, à tête basse,
>
> Du triomphe romain la gloire accompagner,
> Sur ces poudreux tombeaux exercent leur audace,
> Et osent les vaincus les vainqueurs dédaigner.

Hérité de Pétrarque, poète italien du XIVe siècle, le sonnet est un poème à forme fixe très utilisé par les poètes français du XVIe siècle, et réactualisé au XIXe. Il obéit à trois types de contraintes : les strophes se divisent en deux quatrains formant un huitain et en deux tercets formant un sizain, les rimes sont embrassées dans les quatrains et peuvent suivre deux schémas différents dans les tercets (CCD-EDE ou CCD-EED, ce dernier ayant été introduit par Marot), enfin, ces rimes respectent une alternance entre rime féminine et rime masculine.

On proposera deux approches de ce sonnet : l'une à partir du découpage traditionnel en deux quatrains et un sizain, l'autre organisant le sonnet en deux quatrains, un distique et un quatrain. Chacune de ces compositions sera confrontée à l'organisation syntaxique et sémantique des vers.

Premier découpage : deux quatrains / un sizain

Les deux quatrains développent deux comparaisons symétriques, dont le parallélisme est souligné par la reprise de la conjonction « comme » aux vers 1 et 5. Les comparants sont empruntés au champ lexical de la nature : éléments et animaux, personnifiés.

Le sizain poursuit la comparaison tout en l'explicitant : au vers 9, le passé simple (« on vit ») marque le changement de registre de la comparaison, appartenant ici au domaine mythologique. Cette progression de l'ordre naturel vers l'ordre humain et historique annonce l'idée principale du sonnet formulée dans le dernier vers au présent d'actualité.

Deuxième découpage : deux quatrains / un distique / un quatrain

Le distique constitue une unité de sens fondée sur le système de rimes plates, la ponctuation (le point-virgule à la fin du vers 10 marque une pause) et la cohérence syntaxique (la conjonction « et » clôt la série des comparaisons / l'unique occurrence du passé simple distingue ces deux vers de l'ensemble du sonnet).

L'adverbe « Ainsi » au vers 11 délimite un dernier quatrain, qui vient résoudre l'effet d'attente ménagé par les trois comparaisons. Ce quatrain s'organise autour d'une opposition entre une situation passée (« ceux qui jadis soulaient ») et la situation actuelle (« exercent » et « osent »).

Cette deuxième structure éclaire davantage le sens du sonnet et la fonction des comparaisons : les vers 9 et 10 jouent le rôle de charnière entre le système comparatif et son explicitation.

Le dernier vers a une fonction spécifique de conclusion, propre à la forme fixe du sonnet : il a tantôt la valeur d'une « pointe » (effet de surprise ou d'ironie) tantôt celle d'une « chute » qui ici concentre le paradoxe développé et illustré par les comparaisons précédentes (l'antithèse « les vaincus » / « les vainqueurs » marque le renversement des forces).

HYPOTHÈSE DE LECTURE : on peut d'abord s'appuyer sur la structure syntaxique (« Comme… Comme… Et comme / Ainsi ») pour étudier les correspondances entre les comparaisons et leur élucidation. Puis la lecture méthodique mettra en évidence la discordance entre la disposition typographique du sonnet et son découpage en deux quatrains / un distique / un quatrain qui rend mieux compte du sens.

Exercice

Horace (1640)
(IV, 7, v. 1301-1318)
Corneille

CAMILLE

Rome, l'unique objet de mon ressentiment !
Rome, à qui vient ton bras d'immoler mon amant !
Rome, qui t'a vu naître, et que ton cœur adore !
Rome enfin que je hais parce qu'elle t'honore !
Puissent tous ses voisins ensemble conjurés
Saper ses fondements encor mal assurés !
Et si ce n'est assez de toute l'Italie,
Que l'Orient contre elle à l'Occident s'allie ;
Que cent peuples unis des bouts de l'univers
Passent pour la détruire et les monts et les mers !
Qu'elle-même sur soi renverse ses murailles,
Et de ses propres mains déchire ses entrailles ;
Que le courroux du ciel allumé par mes vœux
Fasse pleuvoir sur elle un déluge de feux !
Puissé-je de mes yeux y voir tomber ce foudre,
Voir ses maisons en cendre, et tes lauriers en poudre,
Voir le dernier Romain à son dernier soupir,
Moi seule en être cause et mourir de plaisir !

Dégagez la progression dramatique de la tirade en vous fondant sur les anaphores et sur l'emploi des modes et des pronoms.

2– Énonciation et point de vue

a) La voix : qui parle ?

Rechercher les marques du discours du narrateur : pronoms personnels et pronoms-adjectifs possessifs.

Distinguer :

– Narration à la première personne (auteur = narrateur = personnage principal dans le cas d'un récit autobiographique ; narrateur = personnage principal dans le cas d'un roman à la première personne).

– Narration à la troisième personne (narrateur distinct du personnage principal).

b) Le point de vue : qui voit ?

Déterminer le type de focalisation (zéro, interne, externe, termes définis dans le glossaire).

Repérer les verbes et sujets de la perception.

c) Indices d'énonciation

Étudier le vocabulaire valorisant / dévalorisant, les connotations, les modalisateurs, les repères de temps et d'espace.

• *Exemple*

> ### *La Chartreuse de Parme* (1840)
> (Incipit, chap. I)
> Stendhal
>
> #### MILAN EN 1796
>
> Le quinze mai 1796, le général Bonaparte fit son entrée dans Milan à la tête de cette jeune armée qui venait de passer le pont de Lodi, et d'apprendre au monde qu'après tant de siècles César et Alexandre avaient un successeur. Les miracles de bravoure et de génie dont l'Italie fut témoin en quelques mois réveillèrent un peuple endormi ; huit jours encore avant l'arrivée des Français, les Milanais ne voyaient en eux qu'un ramassis de brigands, habitués à fuir toujours devant les troupes de Sa Majesté Impériale et Royale : c'était du moins ce que leur répétait trois fois la semaine un petit journal grand comme la main, imprimé sur du papier sale.
>
> Au Moyen Age, les Lombards républicains avaient fait preuve d'une bravoure égale à celle des Français, et ils méritèrent de voir leur ville entièrement rasée par les empereurs d'Allemagne. Depuis qu'ils étaient devenus de *fidèles sujets*, leur grande affaire était d'imprimer des sonnets sur de petits mouchoirs de taffetas rose quand arrivait le mariage d'une jeune fille appartenant à quelque famille noble ou riche. Deux ou trois ans après cette grande époque de sa vie, cette jeune fille prenait un cavalier servant : quelquefois le nom du sigisbée choisi par la famille du mari occupait une place honorable dans le contrat de mariage. Il y avait loin de ces mœurs efféminées aux émotions profondes que donna l'arrivée imprévue de l'armée française. Bientôt surgirent des mœurs nouvelles et passionnées. Un peuple tout entier s'aperçut, le 15 mai 1796, que tout ce qu'il avait respecté jusque-là était souverainement ridicule et quelquefois odieux.

Voix et point de vue

Le texte se présente comme un récit historique à la troisième personne, d'apparence objective, à focalisation zéro (narrateur omniscient). En témoignent l'emploi dominant du passé simple et les références historiques (« le 15 mai 1796 », « Au Moyen Age ») ; celles-ci donnent sa vraisemblance au récit en marquant l'antériorité de la fiction (l'histoire racontée dans le roman) par rapport à la narration (qui débute avec les premiers mots du texte). Ainsi le récit à venir est-il placé dans une perspective historique.

Indices d'énonciation

La prétendue objectivité du récit historique est ici constamment pervertie par les intrusions du narrateur qui se manifestent par :

– l'emploi d'un vocabulaire valorisant / dévalorisant : l'entrée de Bonaparte dans Milan est présentée de façon laudative (« César et Alexandre avaient un successeur », « les miracles de bravoure et de génie »). Inversement, l'évocation de la vie à Milan avant cet événement est présentée dans une perspective dévalorisante et ironique (« peuple endormi », « mœurs efféminées », « souverainement ridicule et quelquefois odieux »). En outre, le narrateur renforce l'ironie par des effets de citation soit à l'aide des italiques (« fidèles sujets ») soit de façon implicite : l'expression péjorative « les Milanais ne voyaient en eux qu'un ramassis de brigands » reprend en substance les propos imprimés dans le « petit journal » ;

– les modalisateurs (mots tels que verbes, adverbes, qui font intervenir un jugement dans l'énoncé) : « c'était du moins ce que leur répétait... », « ils méritèrent de voir leur ville entièrement rasée... » (l'emploi du verbe « mériter » a dans le contexte une valeur d'antiphrase).

HYPOTHÈSE DE LECTURE : cet incipit témoigne du statut ambigu de la narration. Ce roman feint de se présenter comme récit historique alors que le narrateur multiplie les interventions critiques et ironiques afin d'infléchir subrepticement le jugement du lecteur.

Exercice

Lolita (1958) (Incipit)
(Traduction française, 1959)
Vladimir Nabokov

Lolita, lumière de ma vie, feu de mes reins.

Mon péché, mon âme. Lo-li-ta : le bout de la langue fait trois petits bonds le long du palais pour venir, à trois, cogner contre les dents. Lo. Li. Ta.

Elle était Lo le matin, Lo tout court, un mètre quarante-huit en chaussettes, debout sur un seul pied. Elle était Lola en pantalon. Elle était Dolly à l'école. Elle était Dolorès sur le pointillé des formulaires. Mais dans mes bras, c'était toujours Lolita.

Avait-elle eu une devancière ? Oui, certes oui. En vérité, il n'y aurait jamais eu de Lolita si je n'avais aimé, un certain été, une enfant initiale. « Dans un royaume auprès de la mer ». Quand cela ? Environ autant d'années avant la naissance de Lolita que j'en comptais cet été-là. Un style imagé est la marque du bon assassin.

Voici, Mesdames et Messieurs les jurés, la première pièce à conviction : cela même que convoitaient les séraphins ignorants, aux ailes altières et au cœur simpliste. Voyez cet entrelacs d'épines.

---

❶ En étudiant les indices d'énonciation et les connotations, montrez que ce texte prend la double forme d'une confession et d'un plaidoyer.

❷ Analysez l'ambiguïté de la voix narrative dans ce récit qui se présente comme une autobiographie fictive (auteur différent du personnage-narrateur à la première personne).

3 – Cadre spatio-temporel

Les repères spatiaux peuvent être étudiés en corrélation avec l'examen du point de vue et des champs lexicaux.

Les repères temporels sont étudiés à partir des temps verbaux et de leur valeur aspectuelle (opposition entre singulatif / itératif, par exemple...) et des autres indications apportées par les adverbes, les substantifs ou les propositions.

• *Exemple*

Histoire du chevalier Des Grieux et de Manon Lescaut (1731)
l'Abbé Prévost

J'avais marqué le temps de mon départ d'Amiens. Hélas ! Que ne le marquai-je un jour plus tôt ! J'aurais porté chez mon père toute mon innocence. La veille même de celui que je devais quitter cette ville, étant à me promener avec mon ami, qui s'appelait Tiberge, nous vîmes arriver le coche d'Arras, et nous le suivîmes jusqu'à l'hôtellerie où ces voitures descendent. Nous n'avions pas d'autre motif que la curiosité. Il en sortit quelques femmes, qui se retirèrent aussitôt. Mais il en resta une, fort jeune, qui s'arrêta seule dans la cour, pendant qu'un homme d'un âge avancé qui paraissait lui servir de conducteur, s'empressait pour faire tirer son équipage des paniers. Elle me parut si charmante, que moi, qui n'avais jamais pensé à la différence des sexes, ni regardé une fille avec un peu d'attention, moi, dis-je, dont tout le monde admirait la sagesse et la retenue, je me trouvai enflammé tout d'un coup jusqu'au transport.

La large palette des modes et temps verbaux employés dans ce texte justifie une étude particulière : dans *Manon Lescaut*, récit rétrospectif à la première personne, on observe un constant décalage entre le temps de la fiction et le temps de la narration, qui permet au héros-narrateur d'interpréter son expérience passée à la lumière de ses sentiments présents.

Dans ce passage, ce décalage est rendu sensible par la présence d'un discours hypothétique au conditionnel passé (« j'aurais porté ») et par l'emploi de plus-que-parfaits de l'indicatif à valeur d'accompli (« j'avais marqué », « moi qui n'avais jamais pensé à… »).

On étudiera également la distribution de l'imparfait et du passé simple de l'indicatif : l'aspect duratif et non accompli de l'imparfait (« un homme d'un âge avancé qui paraissait lui servir de conducteur s'empressait… ») s'oppose à l'aspect accompli et ponctuel du passé simple (« je me trouvai enflammé tout d'un coup… »).

On trouve en outre deux occurrences du présent de l'indicatif, l'un se rapportant au présent de la narration (« moi, dis-je… »), l'autre ayant une valeur de présent d'habitude (« jusqu'à l'hôtellerie où ces voitures descendent »).

D'autres indicateurs temporels ancrent la série d'événements dans une chronologie précise : « un jour plus tôt », « la veille même de celui que je devais quitter cette ville », « aussitôt », « pendant que ».

Quant aux repères spatiaux, ils contribuent à resserrer le champ de l'action tant vers un moment singulier — la rencontre — que dans un espace particulier : on passe de la ville « d'Amiens » à « l'hôtellerie » puis à la « cour » où le regard de Des Grieux va isoler Manon des autres femmes qui l'entourent.

HYPOTHÈSE DE LECTURE : on pourrait montrer par exemple, comment cette lecture rétrospective du passé transforme le hasard en nécessité en inscrivant une série d'événements imprévus dans la perspective d'une rencontre romanesque et fatale.

Exercice

Véra (1874)
(publié dans *Contes cruels*, 1883)
Villiers de l'Isle-Adam

Après les funérailles de son épouse Véra, le comte d'Athol retourne méditer dans la chambre mortuaire…

Et maintenant il revoyait la chambre veuve.

La croisée, sous les vastes draperies de cachemire mauve broché d'or, était ouverte : un dernier rayon du soir illuminait, dans un cadre de bois ancien, le grand portrait de la trépassée. Le comte regarda, autour de lui, la robe jetée, la veille, sur un fauteuil ; sur la cheminée, les bijoux, le collier de perles, l'éventail à demi fermé, les lourds flacons de parfums qu'*Elle* ne respirerait plus. Sur le lit d'ébène aux colonnes tordues, resté défait, auprès de l'oreiller où la place de la tête adorée et divine était visible encore au milieu des dentelles, il aperçut le mouchoir rougi de gouttes de sang où sa jeune âme avait battu de l'aile un instant ; le piano ouvert, supportant une mélodie inachevée à jamais ; les fleurs indiennes cueillies par elle, dans la serre, et qui se mouraient dans de vieux vases de Saxe ; et, au pied du lit, sur une fourrure noire, les petites mules de velours oriental, sur lesquelles une devise rieuse de Véra brillait, brodée en perles : *Qui verra Véra l'aimera*. Les pieds nus de la bien-aimée y jouaient hier matin, baisés à chaque pas, par le duvet des cygnes ! — Et là, là, dans l'ombre, la pendule, dont il avait brisé le ressort pour qu'elle ne sonnât plus d'autres heures.

> ❶ Par quels procédés la description souligne-t-elle les éléments macabres du décor ?
>
> ❷ En étudiant les indices temporels et l'emploi des temps verbaux, montrez comment cette description prépare l'intrusion du fantastique dans ce récit.

4 – Champs lexicaux et figures de style

Rechercher les principaux champs lexicaux en étudiant leur distribution dans le texte et leur corrélation.

Étudier les figures de style dominantes :

– FIGURES D'ANALOGIE ET DE SUBSTITUTION : comparaison, métaphore, métonymie, allégorie.

– FIGURES D'OPPOSITION : antithèse, oxymore, chiasme.

– FIGURES D'ATTÉNUATION ET D'INSISTANCE : euphémisme, litote, hyperbole, anaphore, antiphrase.

N.B. : D'autres procédés de style non répertoriés dans la grille seront analysés au fil des textes étudiés.

• *Exemple*

> ### Les Fleurs du mal (1857)
> Charles Baudelaire
>
> LA GÉANTE
>
> Du temps que la Nature en sa verve puissante
> Concevait chaque jour des enfants monstrueux,
> J'eusse aimé vivre auprès d'une jeune géante,
> Comme aux pieds d'une reine un chat voluptueux.
>
> J'eusse aimé voir son corps fleurir avec son âme
> Et grandir librement dans ses terribles jeux ;
> Deviner si son cœur couve une sombre flamme
> Aux humides brouillards qui nagent dans ses yeux ;
>
> Parcourir à loisir ses magnifiques formes ;
> Ramper sur le versant de ses genoux énormes,
> Et parfois en été, quand les soleils malsains,
>
> Lasse, la font s'étendre à travers la campagne,
> Dormir nonchalamment à l'ombre de ses seins,
> Comme un hameau paisible au pied d'une montagne.

Deux champs lexicaux principaux organisent le sonnet : l'ordre de la nature (la « Nature » dans sa force, le règne animal, les éléments, les paysages) s'entrelace à l'ordre de l'humain (au terme « d'enfants » succède une déclinaison du paradigme du corps humain).

Ces champs lexicaux déterminent un réseau de comparaisons et de métaphores filées. La « Nature » est d'abord personnifiée sous forme d'une Mère toute-puissante (selon une image héritée d'un fonds imaginaire archaïque) et d'une Femme sensuelle. De la personnification, on glisse vers une représentation métaphorique de « la géante » qui est assimilée à la fois à un être féminin (« voir son corps fleurir avec son âme », « son cœur », « ses seins ») et à un élément de la nature (« flamme », « brouillards », « le versant de ses genoux énormes »). A ce réseau métaphorique s'ajoutent deux comparaisons parallèles aux vers 4 et 14 construits en chiasme.

L'oxymore « une sombre flamme » renforce l'ambiguïté de cette Mère-Nature, puissance à la fois protectrice et menaçante.

HYPOTHÈSE DE LECTURE : Baudelaire renouvelle la représentation hyperbolique traditionnelle de la Nature comme Mère et Femme. D'une part, il accentue les connotations sensuelles de « la géante » et d'autre part, il procède à une interversion des qualités entre l'homme et la Nature puisque le « je » est comparé successivement à « un chat » puis à « un hameau ».

Exercice : voir rubrique suivante.

5 – Syntaxe, ponctuation, rythme et sonorités

a) Syntaxe

   – Types de phrases : simples ou complexes, nominales ou verbales.
   – Dominante : parataxe ou hypotaxe.
   – Structure d'enchâssement des subordonnées.
   – Effets de rupture syntaxique (anacoluthe).

b) Ponctuation

Fréquence, effets rhétoriques et expressifs (ex : les deux points à valeur de liaison logique, les points d'exclamation et de suspension à valeur émotive).

Exemple : extrait des *Caractères* de La Bruyère (1688) :

J'entends Théodecte de l'antichambre ; il grossit sa voix à mesure qu'il s'approche ; le voilà entré : il rit, il crie, il éclate ; on bouche ses oreilles, c'est un tonnerre.

Ces cinq propositions indépendantes juxtaposées en parataxe (la ponctuation se substitue aux liens logiques) caractérisent le style coupé de La Bruyère, qui favorise l'effet de portrait sur le vif, et l'objectivité feinte du narrateur. Ce procédé est ici mis au service de l'ironie et de la charge caricaturale propres aux *Caractères*.

c) Rythme

Il se fonde sur la succession des accents toniques placés dans la langue française sur la dernière syllabe non muette d'un mot ou d'un groupe de mots formant une unité grammaticale.

   – Textes en prose : présence de rythmes binaires (deux mesures rythmiques) ou ternaires (trois mesures), croissants (mesures de plus en plus longues), décroissants (mesures de plus en plus brèves).

   – Poésie versifiée : mètres, accents, coupes, enjambements et rejet.

   – Vers libres (qui n'ont ni système de rimes, ni mètres réguliers, ni découpage en strophes ou séquences d'égale longueur) : accents, problème du e muet.

Exemple : soit trois phrases extraites des *Rêveries du promeneur solitaire* (1776) de Jean-Jacques Rousseau.

– Un mouvement d'orgueil / se mêla bientôt à cette rêverie

(mesures 6/10, rythme croissant)

– [...] je me regardais presque / comme un autre Colomb.

(mesures 6/6, rythme binaire)

– [...] et dans une combe à vingt pas du lieu même / où je croyais être parvenu le premier / j'aperçois une manufacture de bas.

(mesures 11/12/11, rythme ternaire)

d) Sonorités : assonances, allitérations, rimes, paronomases.

Exemple : Premier quatrain d'un sonnet extrait du *Recueil de vers* de Marbeuf (1628).

> Et la mer et l'amour ont l'amer pour partage,
> Et la mer est amère, et l'amour est amer,
> L'on s'abyme en l'amour aussi bien qu'en la mer
> Car la mer et l'amour ne sont point sans orage.

Le parallélisme entre la mer et l'amour est développé autour de paronomases (rapprochement de mots de sens différents mais de sonorités voisines) qui créent un jeu d'échos et participent d'une rhétorique poétique traditionnelle à l'époque.

Exercice

« L'huître » (1942)
(publié dans *Le Parti pris des choses*, 1942)
Francis Ponge

L'huître, de la grosseur d'un galet moyen, est d'une apparence plus rugueuse, d'une couleur moins unie, brillamment blanchâtre. C'est un monde opiniâtrement clos. Pourtant on peut l'ouvrir : il faut alors la tenir au creux d'un torchon, se servir d'un couteau ébréché et peu franc, s'y reprendre à plusieurs fois. Les doigts curieux s'y coupent, s'y cassent les ongles : c'est un travail grossier. Les coups qu'on lui porte marquent son enveloppe de ronds blancs, d'une sorte de halos.

A l'intérieur l'on trouve tout un monde, à boire et à manger : sous un *firmament* (à proprement parler) de nacre, les cieux d'en-dessus s'affaissent sur les cieux d'en dessous, pour ne plus former qu'une mare, un sachet visqueux et verdâtre, qui flue et reflue à l'odeur et à la vue, frangé d'une dentelle noirâtre sur les bords.

Parfois très rare une formule perle à leur gosier de nacre, d'où l'on trouve aussitôt à s'orner.

❶ Étudiez la disposition typographique en rapport avec la composition du poème.
❷ Étude du jeu sur les signifiants :
  Recherchez les composantes phoniques et graphiques du mot-titre disséminées dans le poème.
❸ Répertoriez les différents champs lexicaux et les métaphores de la description.

6 – Tons et registres

Identifier la dominante tonale du texte : comique, pathétique, tragique, lyrique, épique.

Caractériser le ou les registres de langue : familier, courant, soutenu.

- **Exemple**

Les Misérables (1862)
Victor Hugo

Cet extrait de la deuxième partie du roman met en scène la mort de Gavroche, tué sur une barricade parisienne par les soldats de Louis-Philippe lors d'une manifestation républicaine à l'occasion des funérailles du général Lamarque, le 5 juin 1832.

Gavroche joue avec le feu : en pleine fusillade, il se risque à récupérer les cartouches sur les cadavres, tout en chantant une célèbre chanson révolutionnaire (« C'est la faute à Voltaire »).

> Le spectacle était épouvantable et charmant. Gavroche, fusillé, taquinait la fusillade. Il avait l'air de s'amuser beaucoup. C'était le moineau becquetant les chasseurs. Il répondait à chaque décharge par un couplet. On le visait sans cesse, on le manquait toujours. Les gardes nationaux et les soldats riaient en l'ajustant. Il se couchait puis se redressait, s'effaçait dans un coin de porte, puis bondissait, disparaissait, reparaissait, se sauvait, revenait, ripostait à la mitraille par des pieds de nez, et cependant pillait les cartouches, vidait les gibernes et remplissait son panier. Les insurgés, haletant d'anxiété, le suivaient des yeux. La barricade tremblait ; lui, il chantait. Ce n'était pas un enfant, ce n'était pas un homme ; c'était un étrange gamin fée. On eût dit le nain invulnérable de la mêlée. Les balles couraient après lui, il était plus leste qu'elles. Il jouait on ne sait quel effrayant jeu de cache-cache avec la mort ; chaque fois que la face camarde du spectre s'approchait, le gamin lui donnait une pichenette.
>
> Une balle pourtant, mieux ajustée ou plus traître que les autres, finit par atteindre l'enfant feu follet. On vit Gavroche chanceler, puis il s'affaissa. Toute la barricade poussa un cri ; mais il y avait de l'Antée dans ce pygmée ; pour le gamin toucher le pavé, c'est comme pour le géant toucher la terre ; Gavroche n'était tombé que pour se redresser ; il resta assis sur son séant, un long filet de sang rayait son visage, il éleva ses deux bras en l'air, regarda du côté d'où était venu le coup, et se mit à chanter :
>
> *Je suis tombé par terre,*
> *C'est la faute à Voltaire,*
> *Le nez dans le ruisseau,*
> *C'est la faute à...*
>
> Il n'acheva point. Une seconde balle du même tireur l'arrêta court. Cette fois il s'abattit la face contre le pavé, et ne remua plus. Cette petite grande âme venait de s'envoler.

Le passage ménage une progression d'une forte intensité dramatique : le gamin défie la mort, « il jouait on ne sait quel effrayant jeu de cache-cache avec la mort », pourtant inéluctable. Il ne succombe qu'au terme d'un combat héroïque auquel il donne la forme d'un jeu : « Gavroche n'était tombé que pour se redresser ; il resta assis sur son séant, [...] et se mit à chanter [...] ». Cette incarnation de la révolte (cf. la chanson révolutionnaire) vouée cependant à une mort sacrificielle confère au récit de la mort de Gavroche une tonalité tragique.

Gavroche ne se donne pourtant pas le sérieux et la gravité d'un héros tragique : le passage met au contraire en valeur la grâce ludique de cet « étrange gamin fée ». Le contraste entre la légèreté du personnage et la gravité de la situation est soutenu par la récurrence des figures antithétiques : « Le spectacle était épouvantable et charmant », « chaque fois que la face camarde du spectre s'approchait, le gamin lui donnait une pichenette », « cette petite grande âme venait de s'envoler ». Cette série d'oppositions donne au récit une forte valeur émotive associée à une tonalité pathétique.

Enfin, la mort de Gavroche revêt une dimension allégorique, dans la mesure où ce « gamin fée » personnifie les valeurs de la Liberté et de l'Innocence sacrifiées. En effet, le personnage devient un symbole universel conférant au récit sa dimension épique. Celle-ci est soutenue par un réseau de références légendaires et mythologiques : « gamin fée », « le nain invulnérable de la mêlée », « il y avait de l'Antée dans ce pygmée », « c'est comme pour le géant toucher la terre ».

HYPOTHÈSE DE LECTURE : chacune des tonalités — tragique, pathétique, épique — constitue une piste de lecture potentielle, puisqu'elle se fonde sur des procédés et des figures de style spécifiques. Aucune ne prédomine sur les autres, mais toutes trois se conjuguent pour donner au texte sa densité dramatique.

Exercice

Voyage au bout de la nuit (1932)
Louis-Ferdinand Céline

Cet extrait relate un épisode de l'épopée de Bardamu : après avoir été vendu comme galérien sur un bateau, il débarque en Amérique et découvre avec stupeur New York, la ville placée sous le signe du dollar...

Figurez-vous qu'elle était debout leur ville, absolument droite. New York c'est une ville debout. On en avait déjà vu nous des villes bien sûr, et des belles encore, et des ports et des fameux même. Mais chez nous, n'est-ce pas, elles sont couchées les villes, au bord de la mer ou sur les fleuves, elles s'allongent sur le paysage, elles attendent le voyageur, tandis que celle-là l'Américaine, elle ne se pâmait pas, non, elle se tenait bien raide, là, pas baisante du tout, raide à faire peur.

On en a donc rigolé comme des cornichons. Ça fait drôle forcément, une ville bâtie en raideur. Mais on n'en pouvait rigoler nous du spectacle qu'à partir du cou, à cause du froid qui venait du large pendant ce temps-là à travers une grosse brume grise et rose, et rapide et piquante à l'assaut de nos pantalons et des crevasses de cette muraille, les rues de la ville, où les nuages s'engouffraient aussi à la charge du vent. Notre galère tenait son mince sillon juste au ras des jetées, là où venait finir une eau caca, toute barbotante d'une kyrielle de petits bachots et remorqueurs avides et cornards.

Pour un miteux, il n'est jamais bien commode de débarquer nulle part mais pour un galérien c'est encore bien pire, surtout que les gens d'Amérique n'aiment pas du tout les galériens qui viennent d'Europe. « C'est tous des anarchistes » qu'ils disent. Ils ne veulent donc recevoir chez eux en somme que les curieux qui leur apportent du pognon, parce que tous les argents d'Europe, c'est des fils à Dollar.

❶ Quels sont les effets produits par les constructions syntaxiques et les registres de langue ?
❷ Dégagez les moyens et la fonction de l'ironie grinçante du narrateur.

7 – Proposition d'axes de lecture méthodique

Le repérage progressif des procédés d'écriture, à l'aide des outils d'analyse précédents, permet d'élaborer diverses hypothèses d'interprétation qu'il convient de faire converger au terme des parcours successifs du texte. On choisira et ordonnera les procédés dominants qui semblent les plus adéquats pour formuler une, deux ou trois pistes de lecture du texte.

N.B. : Il va de soi que certains outils d'analyse sont pertinents pour tout type de texte alors que d'autres sont spécifiques à des genres ou types particuliers, comme le montreront les lectures méthodiques proposées.

Deux modes d'organisation du plan de lecture méthodique sont envisageables :

– un plan qui présente les hypothèses de lecture en s'appuyant sur la structure propre du passage (cf. notamment le texte de Du Bellay proposé p. 11),

– un plan synthétique regroupant les hypothèses de lecture en divers centres d'intérêt (cf. notamment le texte de Proust traité p. 33).

Le choix du plan est déterminé par la structure et le type du texte : il sera ainsi plus judicieux par exemple de construire la lecture méthodique d'un texte argumentatif en se fondant sur son organisation logique.

8 – Méthodologie de l'introduction et de la conclusion

En fonction de l'objectif initial, l'introduction veillera d'abord à situer le texte dans la perspective de l'œuvre intégrale ou bien de la problématique du groupement de textes, ou encore, dans le contexte de l'histoire littéraire. Puis elle caractérisera le passage proposé avant d'annoncer le plan de la lecture méthodique.

La conclusion dressera le bilan des interprétations suscitées au fil de l'analyse et tentera d'élargir celles-ci par rapport à la problématique de l'œuvre complète, du groupement de textes, du genre ou du type auquel appartient l'extrait.

• *Exemple*

Le texte extrait du roman d'Aragon, *Aurélien* (se reporter p. 7), peut être abordé selon plusieurs angles d'étude. Nous proposons ici deux introductions : la première, dans la perspective d'un groupement intitulé « La rencontre amoureuse », la seconde, dans la perspective d'un groupement portant sur « Les débuts de romans ».

Introduction 1

*La rencontre amoureuse, lieu commun de la littérature romanesque occidentale, met souvent en scène un coup de foudre et une représentation idéalisée de la personne aimée. A cet égard, l'incipit d'*Aurélien *bouleverse le schéma traditionnel : déçu par l'apparence de Bérénice, Aurélien dénie tout charme à la jeune femme tandis qu'il semble étrangement fasciné par son prénom chargé de réminiscences littéraires.*

La lecture méthodique mettra donc en valeur :

    I.   Un portrait partiel et partial
   II.   Un prénom envoûtant

Introduction 2

*Pour satisfaire les attentes du lecteur, la première page d'un roman inscrit généralement la fiction dans un mode de narration et un cadre spatio-temporel déterminés, destinés à assurer la présentation des protagonistes et des enjeux de l'action. Or, l'incipit d'*Aurélien *se soustrait en partie à ces exigences : à une situation initiale fragmentaire s'ajoute une narration ambiguë qui crée cependant des effets d'attente.*

La lecture méthodique s'organisera ainsi selon deux axes :

    I.   Une situation initiale lacunaire
   II.   Un horizon d'attente énigmatique

II–Récit romanesque et autobiographique

A – Récit romanesque

Mᵐᵉ de La Fayette

La Princesse de Clèves (1678) (t. I)   ★★★
Madame de La Fayette

Il parut alors une beauté à la cour, qui attira les yeux de tout le monde, et l'on doit croire que c'était une beauté parfaite, puisqu'elle donna de l'admiration dans un lieu où l'on était si accoutumé à voir de belles personnes. Elle était de la même maison que le vidame de Chartres et une des plus grandes héritières de France. Son père était mort jeune, et l'avait laissée sous la conduite de Mᵐᵉ de Chartres, sa femme, dont le bien, la vertu et le mérite étaient extraordinaires. Après avoir perdu son mari, elle avait passé plusieurs années sans revenir à la cour. Pendant cette absence, elle avait donné ses soins à l'éducation de sa fille ; mais elle ne travailla pas seulement à cultiver son esprit et sa beauté, elle songea aussi à lui donner de la vertu et à la lui rendre aimable. La plupart des mères s'imaginent qu'il suffit de ne parler jamais de galanterie devant les jeunes personnes pour les en éloigner. Mᵐᵉ de Chartres avait une opinion opposée ; elle faisait souvent à sa fille des peintures de l'amour ; elle lui montrait ce qu'il a d'agréable pour la persuader plus aisément sur ce qu'elle lui en apprenait de dangereux ; elle lui contait le peu de sincérité des hommes, leurs tromperies et leur infidélité, les malheurs domestiques où plongent les engagements ; et elle lui faisait voir, d'un autre côté, quelle tranquillité suivait la vie d'une honnête femme, et combien la vertu donnait d'éclat et d'élévation à une personne qui avait de la beauté et de la naissance ; mais elle lui faisait voir aussi combien il était difficile de conserver cette vertu, que par une extrême défiance de soi-même et par un grand soin de s'attacher à ce qui seul peut faire le bonheur d'une femme, qui est d'aimer son mari et d'en être aimée.

1 – Objectif initial

La lecture méthodique du texte sera conduite dans la perspective d'une étude d'œuvre complète. Cet extrait de *La Princesse de Clèves*, qui présente le personnage éponyme et introduit un enjeu essentiel du roman, pourrait être l'une des premières séquences étudiées.

2 – Identification du texte

Le verbe initial « Il parut », construit à la forme impersonnelle, conjugué au passé simple et accompagné de l'adverbe de temps « alors », introduit un événement singulier qui rompt la trame narrative établie jusque-là. Un nouveau personnage — « une beauté » — est présenté au lecteur au moment même de son arrivée dans le milieu de « la cour » qui vient d'être décrit. Les premières pages du roman, précédant cet extrait, sont en effet consacrées au tableau de la cour des Valois vers la fin du règne d'Henri II et aux portraits de quelques Grands du royaume.

Le lecteur s'attend donc à découvrir, sur une toile de fond historique, le portrait de l'héroïne (fictive) qui donne son nom au roman.

3 – Mise en œuvre des outils d'analyse

a) Structure

La présentation du personnage suit d'abord l'ordre logique du récit puis celui de la généalogie. La première phrase relate ainsi l'effet produit par l'apparition de cette belle personne à la cour, tandis que la seconde précise sa filiation avec « le vidame de Chartres » et sa position sociale. La suite du texte présente les parents de la jeune fille et principalement l'éducation dispensée par sa mère. Un double paradoxe ressort de cette composition du texte :

– Le personnage qui entre ici en scène sans être nommé apparaît en position moins de sujet que d'objet du regard des autres et de destinataire du discours maternel. En témoigne le fait que le pronom personnel désignant ce personnage (« elle ») est le sujet grammatical de deux verbes seulement dans l'ensemble du passage (« elle donna de l'admiration… » et « elle était de la même maison… »).

– Corrélativement, un glissement semble assez vite s'opérer de la présentation de la jeune fille vers celle de la mère, qui occupe les deux tiers de l'extrait. A partir de la quatrième phrase, le pronom personnel « elle », sujet de la plupart des verbes et placé le plus souvent en tête de phrase, se rapporte à Mme de Chartres. Il faudra donc s'intéresser au contenu et à l'intérêt de cette présentation.

b) Énonciation et point de vue

Le texte présente les caractéristiques d'un récit à la troisième personne, à focalisation zéro. Le narrateur, omniscient, n'y intervient pas directement, sauf dans les phrases conjuguées au présent (« l'on doit croire que c'était une beauté parfaite » et « la plupart des mères s'imaginent qu'il suffit de ne parler jamais de galanterie devant les jeunes personnes pour les en éloigner » que l'on peut considérer comme une insertion du discours du narrateur dans le récit).

1) Énonciation

On mettra en relief deux particularités :

– LA FRÉQUENCE DES TOURS IMPERSONNELS : sous forme de constructions recourant à des formes verbales impersonnelles (« il parut… », « il suffit de… », « il était difficile de... »), au présentatif (« c'était une beauté... ») ou encore au pronom indéfini « on » qui représente tantôt le lecteur (« l'on doit croire ») tantôt le public de la cour (« un lieu où l'on était si accoutumé à voir »). Autant de tournures qui tendent à la généralisation abstraite et se prêtent au dessein d'une démonstration systématique.

– L'INSERTION DU DISCOURS D'UN PERSONNAGE RAPPORTÉ AU STYLE INDIRECT : les verbes introducteurs tels que « elle faisait souvent à sa fille des peintures de l'amour... », « elle lui montrait... », « pour la persuader [...] sur ce qu'elle lui en apprenait de dangereux », « elle lui contait... », « elle lui faisait voir... » rapportent les propos tenus par la mère à sa fille sous la forme d'un discours narrativisé (selon la terminologie de Gérard Genette, dans *Figures III*). Ce type de discours indirect ne rapporte pas fidèlement les paroles du personnage mais relate celles-ci comme s'il s'agissait d'événements. Ici, le discours du personnage est si étroitement intégré au récit du narrateur qu'on hésite parfois sur l'attribution de certaines affirmations à valeur de maxime générale. On pourrait être tenté, par exemple, d'imputer autant au narrateur qu'à Madame de Chartres l'idée que « ce qui seul peut faire le bonheur d'une femme [...] est d'aimer son mari et d'en être aimée ».

2) Point de vue

Quelques exemples suffiront à témoigner du point de vue omniscient du narrateur : l'admiration de la cour à l'égard de la nouvelle arrivée est évoquée de façon globale (« attira les yeux de tout le monde ») avant d'être rapportée à l'usage en vigueur dans ce monde (« où l'on était si accoutumé à voir de si belles personnes »). Dans la suite du texte, le narrateur nous informe de façon concise mais précise sur la situation sociale et le passé familial de l'héroïne (marqué par la mort du père et par une éducation en retrait de la cour).

c) Indices temporels

1) Verbes

Quatre temps de l'indicatif sont employés :

– LE PASSÉ SIMPLE renvoie à des procès singulatifs, lors de l'apparition de la jeune fille à la cour des Valois (« il parut », « attira », « donna »), et accomplis, en ce qui concerne le dessein de Mme de Chartres (« elle ne travailla pas seulement à... », « elle songea aussi à... »).

– L'IMPARFAIT est employé pour les descriptions (« c'était une beauté... », « elle était... »), les procès itératifs (« elle lui montrait... », « elle lui contait... » etc.) ou la concordance des temps dans le discours rapporté au style indirect (« combien il était difficile de... »).

– LE PLUS-QUE-PARFAIT marque l'antériorité et la valeur accomplie dans le passé par rapport aux verbes conjugués à l'imparfait (« l'avait laissée », « avait passé »).

– LE PRÉSENT, enfin, signale d'implicites insertions du discours du narrateur (« l'on doit croire », « la plupart des mères s'imaginent qu'il suffit de... »). Mais il entre aussi en concurrence avec l'imparfait pour rapporter des discours au style indirect, ce qui confère alors à ceux-ci une valeur de vérité générale (« elle lui montrait ce qu'il a d'agréable... », « les malheurs domestiques où plongent les engagements », « s'attacher à ce qui seul peut faire le bonheur d'une femme, qui est d'aimer son mari et d'en être aimée »). D'où une certaine ambiguïté, déjà mentionnée, quant à l'attribution de pareilles affirmations...

2) Adverbes et locutions

Au début du texte, l'adverbe « alors » participe de l'aspect singulatif du verbe « Il parut » et contribue à faire de cette apparition un événement exceptionnel. L'adverbe

« souvent », dans « Elle faisait souvent à sa fille des peintures de l'amour », renchérit, pour sa part, sur la valeur itérative des verbes à l'imparfait, c'est-à-dire sur la fréquence des instructions et mises en garde maternelles.

d) Champs lexicaux et figures de style

1) Champs lexicaux

Trois champs lexicaux principaux se combinent dans le texte, entretenant des relations antinomiques ou complémentaires.

■ Le regard

Qu'il s'agisse du regard admiratif porté sur la beauté, ou bien de la représentation intellectuelle, ce champ lexical est développé tout au long de l'extrait : « Il parut alors une beauté », « attira les yeux », « admiration », « voir de belles personnes », « des peintures de l'amour », « montrait », « faisait voir », « éclat », « faisait voir aussi ». On remarquera que ce registre visuel est employé pour évoquer aussi bien le monde de la cour, où règne l'ordre du « paraître », que les (faux-)semblants de l'amour et, curieusement, les mérites et les exigences de la vertu vantés par Mme de Chartres. En outre, la répartition de ce champ lexical confirme un certain statut, précédemment évoqué, de la jeune héroïne : elle est le centre de convergence des regards admiratifs ou des visées pédagogiques de son entourage.

■ L'amour

Ce terme revêt dans le texte deux connotations antithétiques : négative, s'il désigne la « galanterie » et la passion, positive s'il se rapporte au lien conjugal. On rangera ainsi sous la première rubrique les expressions « ne parler jamais de galanterie devant les jeunes personnes pour les en éloigner », « peintures de l'amour », « agréable » / « dangereux », « tromperies », « infidélité », « malheurs domestiques où plongent les engagements » ; à l'inverse, l'extrait se conclut, de façon beaucoup plus brève mais catégorique, sur « ce qui seul peut faire le bonheur d'une femme, qui est d'aimer son mari et d'en être aimée ».

Une dernière occurrence du registre de l'amour, placée au centre du texte, mérite d'être relevée, de par son association paradoxale au champ opposé de la vertu : « elle songea aussi à lui donner de la vertu et à la lui rendre aimable ». La morale de Mme de Chartres consisterait-elle à prôner non seulement la fidélité conjugale mais surtout l'amour de la vertu pour mieux se protéger des ravages de la passion ?

■ La vertu

Outre l'occurrence citée précédemment, le mot « vertu » apparaît à trois reprises dans le texte et constitue un champ lexical autour des termes « le bien », « le mérite », la « tranquillité » de « la vie d'une honnête femme », « l'élévation ». Le terme de « vertu » est à entendre ici dans son acception classique, héritée du latin « virtus » (valeur de l'homme) : il désigne la valeur morale portée au plus haut degré, la force d'âme d'un individu qui se fixe des principes et des règles de conduite visant au bien. Si ce mot est placé au centre de la triade des qualités de Mme de Chartres (« dont le bien, la vertu et le mérite étaient extraordinaires »), il est aussi la clef de voûte du système d'éducation dont le texte énonce les moyens et les fins. On ne naît pas vertueux, on le devient à force de discipline et de défiance de soi et du monde : Mme de Chartres s'efforce en effet de « donner de la vertu » à sa fille, alors qu'il suffit de « cultiver » l'esprit et la beauté de celle-ci comme s'il s'agissait là de qualités premières. En outre, la vertu n'est jamais définitivement acquise : il est « difficile de [la] conserver » à moins d'une vigilance et de soins rigoureux qui s'apparentent à une lutte contre les tentations extérieures et les forces contraires à cette voie vertueuse.

Pareille leçon morale s'inscrit dans le droit fil de la doctrine janséniste qui prône une défiance absolue des passions, source de désordres et de ravages. La vertu est ici présentée à mademoiselle de Chartres comme un moyen de défense contre les périls de la passion amoureuse et les artifices de la société, et comme une promesse de « tranquillité » (mot qui, dans la suite et surtout la fin du roman, sera relayé par celui de « repos »). Mais, de façon plus paradoxale, la notion de vertu est aussi associée aux termes d'« éclat » (qui, relevant du champ lexical du regard, pourrait impliquer une volonté d'apparence glorieuse) et de « bonheur » atteint dans et par l'amour conjugal. C'est ainsi que le discours maternel, tout en enseignant les exigences de la vertu, en fait valoir les bénéfices, voire les charmes, et tente de dépasser l'antinomie établie précédemment entre amour et vertu, en faisant du mariage un refuge pour la jeune femme.

2) Figures de style

L'hyperbole et l'abstraction sont les deux caractéristiques majeures de ce texte où l'on relève une série de tours superlatifs : « une beauté parfaite », « une des plus grandes héritières de France », « extraordinaires », « une extrême défiance de soi-même », « un grand soin de s'attacher à ce qui seul peut faire le bonheur d'une femme ». Marque de l'écriture précieuse, l'hyperbole escamote toute description concrète pour offrir l'image idéalisée de personnages d'exception.

La visée didactique et persuasive du discours est servie par une rhétorique démonstrative qui s'appuie sur des antithèses (« agréable / « dangereux »), des balancements et des groupements binaires (« elle ne travailla pas seulement à… » / « elle songea aussi à… » ; « elle lui faisait voir, d'un autre côté… » ; « …donnait d'éclat et d'élévation » ; « …avait de la beauté et de la naissance »), des chiasmes (« …qui est d'aimer son mari et d'en être aimée »).

e) Syntaxe, ponctuation, rythme

La plupart des phrases sont complexes, comportant une ou plusieurs propositions subordonnées. On notera en particulier la succession de subordonnées dans la première et la dernière phrase du passage, de longueur à peu près équivalente. Cette dominante fait d'autant plus ressortir les rares propositions simples et plus courtes du texte, telle que celle placée au centre : « Mme de Chartres avait une opinion opposée », qui prépare l'insertion du discours narrativisé de ce personnage.

L'emploi d'une ponctuation particulière distingue ce discours narrativisé du reste du récit : les cinq propositions qui le constituent (depuis « elle faisait souvent à sa fille… » jusqu'à « mais elle lui faisait voir aussi… ») sont en effet juxtaposées à l'aide de points-virgules.

En ce qui concerne le rythme et la mélodie des phrases, on pourra s'intéresser au schéma périodique de certaines d'entre elles. Ainsi, la phrase initiale de l'extrait :

Il parut alors une beauté à la cour, qui attira les yeux de tout le monde,
et l'on doit croire que c'était une beauté parfaite,
puisqu'elle donna de l'admiration dans un lieu où l'on était si accoutumé à voir de belles personnes.

suit une cadence majeure puisque la partie ascendante de la phrase (dite « protase ») est plus courte que la partie descendante (ou apodose). Inversement, la clausule de la dernière phrase (« qui est d'aimer son mari et d'en être aimée ») est plus courte que les membres précédents (selon un effet de cadence mineure), ce qui contribue à renforcer l'effet de clôture déjà obtenu par la répétition du verbe « aimer ». Effet que l'on rapportera, d'une part, à la clôture du système d'éducation institué par Mme de Chartres qui tente de préserver sa fille du monde bien plus qu'elle ne la prépare à y entrer ; d'autre part, au huis-clos dans lequel ont vécu les deux femmes, en l'absence du père et à l'écart de la vie mondaine.

Clés de lecture

De cette analyse méthodique se dégagent trois principaux axes d'étude du texte :

I. La présentation paradoxale de l'héroïne, dont le portrait idéalisé est supplanté par l'exposé de son éducation non moins exceptionnelle

II. L'antinomie entre les deux voies de l'amour et de la vertu

III. Les subtilités ou ambiguïtés de l'éducation maternelle

---

4 – Proposition de plan de lecture méthodique

• *Introduction*

La présentation du personnage principal est un moment d'autant plus attendu lors de la lecture d'un roman quand celui-ci porte le nom de son héros. C'est l'objet de cet extrait de La Princesse de Clèves *: l'entrée en scène du personnage éponyme, encore inconnu, succède au tableau de la cour des Valois, qui sera la toile de fond historique de l'intrigue romanesque.*

L'apparition de ce nouveau personnage crée un effet de surprise, tant pour le public de la cour que pour le lecteur. Non seulement la jeune fille n'est pas directement nommée, mais aussi son portrait, à peine ébauché, cède vite la place à la présentation de l'éducation qu'elle a reçue de sa mère. Fondé sur l'opposition entre amour et vertu, ce dessein pédagogique introduit l'une des questions essentielles du roman.

La lecture méthodique s'articulera autour des axes suivants :

I. Un personnage objet du regard et du discours d'autrui

1. Une apparition éblouissante
    - Hyperboles et généralisations
    - Prédominance du champ lexical du regard
    - Sémantisme et temps des verbes
2. Un portrait de l'héroïne escamoté par la leçon maternelle
    - Structure du texte
    - Énonciation
    - Insertion du discours narrativisé

II. La voie de la vertu contre les risques de la passion

1. Une leçon de morale défensive
    - Champs lexicaux antinomiques
    - Rhétorique de l'argumentation et de la persuasion
    - Rigueur janséniste
2. Une éducation déterminante mais ambiguë
    - Le prix et les bénéfices de la vertu
    - La gloire de la distinction
    - Le huis-clos d'une éducation théorique en manque d'expérience

• *Conclusion*

La première apparition de Mademoiselle de Chartres est un moment fondateur dans le roman. Si la jeune fille est présentée comme un personnage d'exception, elle semble surtout définie par le regard des autres et par le discours de sa mère qui joue le rôle d'un véritable directeur de conscience. La leçon morale ici exposée met en garde contre les ravages du désir amoureux, exalte les mérites de la vertu, et propose le mariage comme antidote et refuge contre les passions illégitimes. C'est là un programme que la suite du récit se chargera d'illustrer tout en en révélant les contradictions insurmontables.

Diderot

Jacques le fataliste (1778)   *******
Denis Diderot

Lecteur, il me vient un scrupule, c'est d'avoir fait honneur à Jacques ou à son maître de quelques réflexions qui vous appartiennent de droit ; si cela est, vous pouvez les reprendre sans qu'ils s'en formalisent. J'ai cru m'apercevoir que le mot *Bigre* vous déplaisait. Je voudrais bien savoir pourquoi. C'est le vrai nom de mon charron ; les extraits baptistaires, extraits mortuaires, contrats de mariage en sont signés Bigre. Les descendants de Bigre, qui occupent aujourd'hui sa boutique, s'appellent Bigre. Quand leurs enfants, qui sont jolis, passent dans la rue, on dit : « Voilà les petits Bigre ». Quand vous prononcez le nom de *Boule*, vous vous rappelez le plus grand ébéniste que vous ayez eu. On ne prononce point encore dans la contrée de Bigre le nom de Bigre sans se rappeler le plus grand charron dont on ait mémoire. Le Bigre, dont on lit le nom à la fin de tous les livres d'offices pieux du commencement de ce siècle, fut un de ses parents. Si jamais un arrière-neveu de Bigre se signale par quelque grande action, le nom personnel de Bigre ne sera pas moins imposant pour vous que celui de César ou de Condé. C'est qu'il y a Bigre et Bigre, comme il y a Guillaume et Guillaume. Si je dis Guillaume tout court, ce ne sera ni le conquérant de la Grande-Bretagne, ni le marchand de drap de l'*Avocat Patelin ;* le nom de Guillaume tout court ne sera ni héroïque ni bourgeois : ainsi de Bigre. Bigre tout court n'est ni le fameux charron ni quelqu'un de ses plats ancêtres ou de ses plats descendants. En bonne foi, un nom personnel peut-il être de bon ou de mauvais goût ? Les rues sont pleines de mâtins qui s'appellent Pompée. Défaites-vous donc de votre fausse délicatesse, ou j'en userai avec vous comme milord Chatham avec les membres du parlement ; il leur dit : « Sucre, Sucre, Sucre ; qu'est-ce qu'il y a de ridicule là-dedans ?... » Et moi, je vous dirai : « Bigre, Bigre, Bigre ; pourquoi ne s'appellerait-on pas Bigre ? » C'est, comme le disait un officier à son général le grand Condé, qu'il y a un fier Bigre, comme Bigre le charron ; un bon Bigre, comme vous et moi ; de plats Bigres, comme une infinité d'autres.

1 – Objectif initial

La lecture méthodique de cet extrait s'efforcera d'analyser la fonction du discours dans un récit romanesque.

2 – Observation du paratexte

Le titre du roman, *Jacques le fataliste et son maître,* met en scène deux personnages unis par un lien hiérarchique. De plus, l'adjectif « fataliste », annonce les enjeux philosophiques du roman qui semble dès lors comporter une visée didactique. Celle-ci sera confirmée ultérieurement par les intrusions de l'auteur-narrateur interrompant le cours du récit.

3 – Identification du texte

Le vocatif « lecteur » par lequel débute l'extrait permet de le rattacher au type discursif. Ainsi, le passage constitue une intervention de l'auteur-narrateur, sous la forme d'une digression, d'un commentaire personnel, dont les liens avec le récit principal pourront être éclairés.

4 – Mise en œuvre des outils d'analyse

a) Structure

Cette page se compose d'un paragraphe sans rupture typographique, dont l'unité réside dans un jeu de variations autour du mot / nom propre « Bigre » : on peut en relever 22 occurrences. A partir d'un même signifiant, mis en valeur à l'ouverture par les italiques, l'auteur-narrateur se plaît à déployer en toute gratuité, de multiples signifiés qui viennent enrichir les résonances de ce nom à programme.

On peut cependant distinguer deux mouvements d'ampleur inégale :

– L'adresse au lecteur, qui constitue l'attaque du texte, introduit un thème propre au roman *Jacques le fataliste* : la contestation du roman comme genre.

– La digression sur le mot / nom propre « Bigre » s'inscrit à l'intérieur d'une triple contestation : sociale (« C'est le vrai nom de famille de mon charron... »), langagière (« Un nom personnel peut-il être de bon ou de mauvais goût ? » / « Pourquoi ne s'appellerait-on pas Bigre ? »), sexuelle (la proximité des signifiants « Bigre » et « Boule » nous rappelle implicitement que « Bigre » est un euphémisme pour « Bougre »).

b) Énonciation

1) La voix : qui parle ?

L'alternance des pronoms de la première et de la deuxième personne instaure un dialogue fictif entre auteur et lecteur : « qui vous appartiennent de droit », « défaites-vous donc de votre fausse délicatesse », « vous prononcez », « je vous dirai », etc. Ainsi, l'auteur semble anticiper sur les critiques virtuelles que le lecteur serait en « droit » de lui adresser, tout en se livrant à une sorte de « frustration éducative » de ce dernier.

Les deux séquences au discours direct viennent conforter la vraisemblance et l'efficacité de ce dialogue fictif.

2) Indices d'énonciation

La digression développe les connotations morales du mot Bigre, dont le sens propre péjoratif — puisqu'il s'agit d'un juron — demeure la référence implicite du passage. Ce sont essentiellement les connotations sociales attachées au mot employé comme nom propre qui sont parodiées : « C'est le vrai nom de famille de mon charron ; les extraits baptistaires, extraits mortuaires, contrats de mariage en sont signés Bigre. Les descendants de Bigre, qui occupent aujourd'hui sa boutique, s'appellent Bigre ». La critique du prestige personnel traditionnellement induit par le nom propre est ensuite formulée explicitement : « En bonne foi, un nom personnel peut-il être de bon ou de mauvais goût ? »

Diderot suggère par cette interrogation qu'il n'existe ni mot « sale », ni mot « propre » dans la langue, qu'aucun principe moral n'autorise à considérer un mot comme « hors vocabulaire ».

D'autres termes à connotations morales (« scrupule », « s'en formalisent ») ou juridiques (« de droit ») mettent en cause la légitimité ou la gratuité du roman : Jacques et son maître, personnages de fiction, sont des êtres de papier, livrés à la toute-puissance ou à la fantaisie de leur créateur.

c) Repères temporels

Le présent de l'indicatif, temps dominant du passage, revêt deux valeurs correspondant soit à l'énoncé de vérités générales (« C'est qu'il y a Bigre et Bigre comme il y a Guillaume et Guillaume » / « Les rues sont pleines de mâtins qui s'appellent Pompée »), soit au discours du narrateur, distinct du temps de la fiction (« Lecteur, il me vient un scrupule » / « Défaites-vous donc de votre fausse délicatesse »).

d) Champs lexicaux et figures de style

1) Champ lexical
■ **La généalogie**

Le champ lexical de la généalogie se déploie tout au long du texte : « vrai nom de famille », « extraits baptistaires, extraits mortuaires, contrats de mariage », « les descendants de Bigre », « leurs enfants », « un de ses parents », « un arrière-neveu », « quelqu'un de ses plats ancêtres ou de ses plats descendants ». Ce développement marque la parodie des écrits administratifs, la dérision de la transmission du patronyme au fil des générations.

2) Figures de style

Leur étude ne peut se dissocier de celle des tonalités :

– L'ANAPHORE du mot / nom propre « Bigre » prend la valeur d'un jeu verbal. L'auteur-narrateur semble prendre plaisir à se gargariser de la répétition d'un même signifiant. Le verbe « prononcer » souligne l'importance du mot dans sa matérialité phonique, de même que l'anaphore valorise le graphisme de ce terme.

– JEUX DE MOTS : « Bigre » + « Boule » = bougre, signifié implicite. De même, le parallélisme entre « Bigre » et « Sucre » crée des effets sonores.

– L'ÉNUMÉRATION : « C'est […], qu'il y a un fier Bigre, comme Bigre le charron ; un bon Bigre, comme vous et moi ; de plats Bigres, comme une infinité d'autres », confère une importance démesurée au nom d'un simple charron.

– LA TAUTOLOGIE : « C'est qu'il y a Bigre et Bigre, comme Guillaume et Guillaume », feint de donner à l'argumentation une visée démonstrative, mais lui substitue en fait des évidences.

– LES COMPARAISONS apparaissent comme un procédé récurrent dans cette page, qui s'amplifie à mesure que le texte progresse pour culminer dans la dernière phrase. Elles se construisent parfois sur des jeux de superposition gratuits : « le nom personnel de Bigre ne sera pas moins imposant pour vous que celui de César ou de Condé. C'est qu'il y a Bigre et Bigre comme il y a Guillaume et Guillaume. Si je dis Guillaume tout court, ce ne sera ni le conquérant de la Grande-Bretagne, ni le marchand de drap de l'*Avocat Patelin* ; le nom de Guillaume tout court ne sera ni héroïque ni bourgeois… »

En comparant le nom d'un simple charron à ceux de personnages prestigieux de l'Histoire ou de la littérature, Diderot dénonce le prestige vain que l'on accorde au seul nom propre. Un individu modeste peut porter un nom respectable (« Bigre », « Guillaume tout court ») ; inversement, un « mâtin » peut être injustement affublé d'un nom prestigieux — « Pompée » — qu'il entache alors de ridicule.

e) Syntaxe et ponctuation

La fréquence des tournures présentatives (« C'est que », « C'est »), les articulations logiques (« ainsi », « donc »), l'utilisation des deux points mettent en évidence une volonté démonstrative. Or, elle s'apparente à un artifice trompeur, dans la mesure où l'on peut observer par ailleurs que le texte progresse par glissements successifs et par répétitions.

f) Ton et registres

1) Ton

Plusieurs procédés déterminent la valeur parodique de la digression :

– L'emploi d'épithètes à valeur emphatique : « une grande action », « moins imposant », « le plus grand ». Ces épithètes confèrent aux personnes ou aux faits un caractère solennel empreint de dérision.

– Le décalage entre le nom « Bigre » et ceux des personnages célèbres, réels ou fictifs, auxquels il est comparé : Boule (ébéniste de Louis XIV), César, Condé, Pompée, Guillaume le conquérant, le personnage de farce, Milord Chatham.

– La critique de différentes formes d'écrits codifiés : Diderot s'attaque notamment aux genres romanesques reconnus à l'époque (le roman héroïque — *L'Astrée* d'Honoré d'Urfé par exemple — le roman bourgeois — tel *Le Roman comique* de Scarron). Il dénonce également la vanité des écrits administratifs et textes officiels en tous genres (« les livres d'offices pieux »), fondés sur des procédés répétitifs.

2) Registres

L'emploi de quelques tours familiers accentue la tonalité parodique du passage : « c'est qu'il y a », « un bon bigre », « tout court », etc.

Clés de lecture

La grille d'analyse a conduit à deux axes de lecture principaux :

I. Un exercice de style fondé sur le plaisir à manier le langage

II. Une digression à valeur contestataire

---

5 – Proposition d'axes de lecture méthodique

• *Introduction*

Dans Jacques le fataliste, *Diderot porte un regard critique sur le genre romanesque. Afin d'en mieux éclairer et contester les mécanismes, il n'hésite pas à interrompre le cours de la fiction, pour s'interposer entre le lecteur et ses personnages.*

Aussi nous offre-t-il dans l'une des pages les plus achevées du roman, une brillante digression sur le mot « Bigre » — patronyme de l'un des protagonistes de la fiction — qui se transforme peu à peu en une réflexion sur la valeur symbolique du nom propre.

La lecture méthodique développera les axes suivants :

I. Un discours ludique
1. Un dialogue fictif auteur-lecteur
   – Les pronoms
   – Gratuité de la digression : le discours contrepoint de l'illusion romanesque
2. Un jeu sur le signifiant et les signifiés
   – Du mot au nom propre : polysémie du terme et connotations
   – Des variations aux significations multiples
3. Une progression fondée sur la répétition
   – Structure du texte et jeu des anaphores
   – Jeux de mots
   – Tautologies
   – Une logique faussement démonstrative

II. Une double contestation
1. Contestation du roman
   – Fonction de la digression comme mise en question de la fiction romanesque et de son efficacité

2. Contestation de la valeur du nom propre
- Prestige social et nom propre : une corrélation trompeuse
- Références historiques et littéraires : jeu des comparaisons
- Contestation sociale, sexuelle, langagière

3. La parodie au service de la contestation
- Parodie des écrits codifiés (administratifs et religieux)
- Énumérations
- Registres de langue

• Conclusion

Cette digression repose sur un effet de mise en abyme : à la contestation du roman comme genre, répond celle de la valeur du nom propre, dont Diderot entend désacraliser le prestige.

Cette démarche critique s'ouvre sur une interrogation qui touche aux pouvoirs du langage : en effet, l'argumentation mise en œuvre se révèle être une subtile mystification qui vise à briser les codes sociaux pour mieux dévoiler les vertus ludiques, les potentialités cachées de la langue. Au discours didactique, Diderot substitue un discours gratuit et s'octroie un espace de liberté loin des contraintes du roman, pour mieux jouir de la connivence qu'il entend établir avec son lecteur.

Proust

Le Temps retrouvé (1925)   ******
Marcel Proust

Le vieux Duc de Guermantes ne sortait plus [...]. Je ne l'avais pas aperçu et je ne l'eusse sans doute pas reconnu, si on ne me l'avait clairement désigné. Il n'était plus qu'une ruine mais superbe, et moins encore qu'une ruine, cette belle chose romantique que peut être un rocher dans la tempête. Fouettée de toutes parts par les vagues de souffrance, de colère de souffrir, d'avancée montante de la mort qui la circonvenaient, sa figure, effritée comme un bloc gardait le style, la cambrure que j'avais toujours admirés ; elle était rongée comme une de ces belles têtes antiques trop abîmées mais dont nous sommes trop heureux d'orner un cabinet de travail. Elle paraissait seulement appartenir à une époque plus ancienne qu'autrefois, non seulement à cause de ce qu'elle avait pris de rude et de rompu dans sa matière jadis plus brillante, mais parce qu'à l'expression de finesse et d'enjouement avait succédé une involontaire, une inconsciente expression, bâtie par la maladie, de lutte contre la mort, de résistance, de difficulté à vivre. Les artères ayant perdu toute souplesse avaient donné au visage jadis épanoui une dureté sculpturale. Et sans que le Duc s'en doutât, il découvrait des aspects de nuque, de joue, de front, où l'être comme obligé de se raccrocher avec acharnement à chaque minute semblait bousculé dans une tragique rafale, pendant que les mèches blanches de sa magnifique chevelure moins épaisse venaient souffleter de leur écume le promontoire envahi du visage. Comme ces reflets étranges, uniques, que seule l'approche de la tempête où tout va sombrer donne aux roches qui avaient été jusque-là d'une autre couleur, je compris que le gris plombé des joues raides et usées, le gris presque blanc et moutonnant des mèches soulevées, la faible lumière encore départie aux yeux qui voyaient à peine, étaient des teintes non pas irréelles, trop réelles au contraire, mais fantastiques, et empruntées à la palette, à l'éclairage inimitable dans ses noirceurs effrayantes et prophétiques, de la vieillesse, de la proximité de la mort.

1 – Objectif initial

La lecture méthodique de cet extrait sera menée dans la perspective d'étude de la technique littéraire du portrait et permettra de rendre compte de quelques particularités de l'écriture proustienne.

2 – Observation du paratexte

On rappellera que *Le Temps retrouvé* constitue le dernier volume de la somme romanesque de M. Proust, *A la recherche du temps perdu*. On gardera à l'esprit le mot « temps », présent dans ces deux titres, afin de vérifier son éventuelle corrélation avec le portrait proposé.

3 – Identification du texte

Le type du portrait est aisément identifiable et oriente le choix des outils d'analyse.

On peut noter un jeu d'échos dans le texte qui s'ouvre sur la présentation du « *vieux* duc de Guermantes » pour s'achever sur la mention de « la vieillesse, de la proximité de la mort ». Ainsi retrouve-t-on la piste suggérée par le titre de l'œuvre.

4 – Mise en œuvre des outils d'analyse

a) Structure

Le portrait est circonscrit à la peinture du visage : d'abord évoqué dans son ensemble à l'aide de trois termes synonymes, « sa figure », « une de ces belles têtes antiques », « visage », celui-ci est ensuite décomposé en ses divers éléments anatomiques (« aspects de nuque, de joue, de front », « mèches blanches de sa magnifique chevelure », « le gris plombé des joues », « le gris [...] des mèches soulevées », « la faible lumière encore départie aux yeux qui voyaient à peine »).

b) Énonciation et point de vue

Le narrateur du récit à la première personne est ici la seule source d'observation de la scène. Ainsi, dans cette page, voix et point de vue se confondent.

Le portrait du Duc de Guermantes est appréhendé selon une double perception, sensorielle d'abord, « si on ne me l'avait clairement désigné », puis intellectuelle, « je compris que... »

c) Marques temporelles

1) Temps verbaux

Si l'imparfait de l'indicatif à valeur descriptive prédomine, on peut également relever l'emploi du plus-que-parfait, du passé simple, du présent de vérité générale et du futur proche. Cette combinaison des temps verbaux rend compte de la superposition des strates temporelles à l'œuvre dans la métamorphose progressive du personnage.

2) Sémantisme des verbes

Cette transformation due au vieillissement est accentuée par le sens de certains verbes : « je ne l'eusse sans doute pas reconnu », « à cause de ce que [sa figure] avait pris de rude et de rompu », « avait succédé », « ayant perdu toute souplesse », « avaient donné au visage jadis épanoui une dureté sculpturale ».

Autant de verbes qui révèlent le double mouvement de la métamorphose, destruction / création d'apparences multiples de l'être.

3) Adverbes

« Ne plus », « toujours », « jadis », « jusque-là », « encore », « à peine », marquent les étapes de la transformation au fil du temps.

4) Adjectifs

Les adjectifs « fantastiques » et « prophétiques » participent de l'expression de la métamorphose et préfigurent la mort à venir du personnage.

Ainsi, le regard du narrateur révèle que le Temps détruit une apparence familière du personnage et simultanément en façonne une nouvelle image, plus minérale et sculpturale qu'humaine, que l'art du portrait sublime. L'ambivalence de ce travail du Temps est annoncée par la figure de l'antithèse : « il n'était plus qu'une ruine mais superbe, et moins encore qu'une ruine, cette belle chose romantique que peut être un rocher dans la tempête ».

d) Champs lexicaux et figures de style

Deux grands champs lexicaux traversent le texte : celui de la nature et celui de l'art plastique, et permettent de construire les comparaisons et les métaphores filées qui composent le passage.

■ La nature

« Un rocher dans la tempête », « vagues », « rude et rompu dans sa matière jadis plus brillante », « une tragique rafale », « écume », « promontoire », « comme ces reflets […] que seule l'approche de la tempête où tout va sombrer donne aux roches... », « le gris presque blanc et moutonnant des mèches soulevées ».

■ L'art sculptural et pictural

« Ruine », « sa figure, effritée comme un bloc gardait le style, la cambrure que j'avais toujours admirés », « une de ces belles têtes antiques […] dont nous sommes trop heureux d'orner un cabinet de travail », « une dureté sculpturale », « rude et rompu dans sa matière jadis plus brillante », « le gris plombé des joues », « des teintes non pas irréelles, trop réelles au contraire, mais fantastiques, et empruntées à la palette... »

Ces deux champs lexicaux métaphoriques sont constamment entrelacés l'un à l'autre, grâce au motif commun de la détérioration exprimé par les termes : « ruine », « effritée », « rongée », « abîmées », « artères ayant perdu toute souplesse », « les joues raides et usées », « yeux qui voyaient à peine ».

La dégradation est en outre suggérée par le motif du naufrage qui prolonge celui de la tempête et figure l'allégorie de la mort, aboutissement de l'œuvre destructrice du temps : « fouettée de toutes parts par les vagues de souffrance, de colère de souffrir, d'avancée montante de la mort qui la circonvenaient, sa figure... », « où l'être comme obligé de se raccrocher avec acharnement à chaque minute semblait bousculé dans une tragique rafale », « le promontoire envahi du visage », « l'approche de la tempête où tout va sombrer ».

■ La beauté

« Superbe », « cette belle chose romantique », « le style, la cambrure que j'avais toujours admirés », « une de ces belles têtes antiques », « orner un cabinet de travail », « magnifique chevelure ».

Ce champ lexical, mêlé à celui de l'art sculptural et pictural, suggère que le Duc de Guermantes devient, à mesure que le portrait se construit, un objet esthétique, digne de contemplation. Ainsi, à l'œuvre destructrice du temps, répond en contrepoint, le regard visionnaire du narrateur qui transforme le personnage en œuvre d'art et en fait surgir la beauté.

Clés de lecture

La grille d'analyse a permis de mettre en évidence deux caractéristiques dominantes de ce texte :

I. L'entrelacement des métaphores

II. Le pouvoir destructeur / recréateur du Temps

---

5 – Proposition d'axes de lecture méthodique

• *Introduction*

Le portrait occupe, au sein de la fiction romanesque, une place privilégiée : il fonde à la fois la vraisemblance et l'identité d'un personnage, et constitue bien souvent une pause narrative dont les liens avec l'économie romanesque sont multiples.

Ainsi, le portrait du Duc de Guermantes prend place au moment où le héros-narrateur se rend dans la société du Faubourg Saint-Germain, qu'il a depuis longtemps cessé de fréquenter. Cette visite chez les aristocrates sera pour lui l'occasion d'une révélation : tout, dans ce monde, est transfiguré par le vieillissement, qu'il s'agisse des êtres ou de la société elle-même. Ce portrait s'insère donc dans une prise de conscience des pouvoirs du Temps sur les individus.

La lecture méthodique se construira à partir des axes suivants :

I. Un portrait métaphorique
1. Organisation du portrait
2. Une double métaphore filée (nature / art)
3. Le motif de la dégradation, point de convergence des deux métaphores

II. Un regard visionnaire
1. Le temps, artisan d'une métamorphose (dégradation / transformation)
   – Sémantisme des verbes
   – Allégorie de la mort
   – Recréation d'une œuvre d'art
2. L'art du portrait révèle l'œuvre du Temps
   – Le jeu des temps verbaux et des marqueurs temporels
   – Le point de vue : de la perception à la vision du narrateur-artiste

• *Conclusion*

Par une écriture métaphorique qui entrelace les deux motifs de la nature et de l'art également soumis à l'usure du Temps, le narrateur recompose la figure du Duc de Guermantes pour soustraire celui-ci à la contingence et lui donner la dimension d'une œuvre d'art.

Ainsi ce portrait, situé dans les dernières pages du Temps retrouvé, *préfigure et réalise à la fois la vocation d'écrivain du narrateur.*

Exercice d'entraînement

Madame Bovary (1857) (III, 5) ✳
Gustave Flaubert

Puis, d'un seul coup d'œil, la ville apparaissait.

Descendant tout en amphithéâtre et noyée dans le brouillard, elle s'élargissait au-delà des ponts, confusément. La pleine campagne remontait ensuite d'un mouvement monotone, jusqu'à toucher au loin la base indécise du ciel pâle. Ainsi vu d'en haut, le paysage tout entier avait l'air immobile comme une peinture ; les navires à l'ancre se tassaient dans un coin ; le fleuve arrondissait sa courbe au pied des collines vertes, et des îles, de forme oblongue, semblaient sur l'eau de grands poissons noirs arrêtés. Les cheminées des usines poussaient d'immenses panaches bruns qui s'envolaient par le bout. On entendait le ronflement des fonderies avec le carillon clair des églises qui se dressaient dans la brume. Les arbres des boulevards, sans feuilles, faisaient des broussailles violettes au milieu des maisons, et les toits, tout reluisants de pluie, miroitaient inégalement, selon la hauteur des quartiers. Parfois un coup de vent emportait les nuages vers la côte Sainte-Catherine, comme les flots aériens qui se brisaient en silence contre une falaise.

Quelque chose de vertigineux se dégageait pour elle de ces existences amassées, et son cœur s'en gonflait abondamment, comme si les cent vingt mille âmes qui palpitaient là eussent envoyé toutes à la fois la vapeur des passions qu'elle leur supposait. Son amour s'agrandissait devant l'espace, et s'emplissait de tumulte aux bourdonnements vagues qui montaient. Elle le reversait au dehors, sur les places, sur les promenades, sur les rues, et la vieille cité normande s'étalait à ses yeux comme une capitale démesurée, comme une Babylone où elle entrait. Elle se penchait des deux mains par le vasistas, en humant la brise ; les trois chevaux galopaient. Les pierres grinçaient dans la boue, la diligence se balançait, et Hivert, de loin, hélait les carrioles sur la route, tandis que les bourgeois qui avaient passé la nuit au Bois-Guillaume descendaient la côte tranquillement dans leur petite voiture de famille.

On s'arrêtait à la barrière ; Emma débouclait ses socques, mettait d'autres gants, rajustait son châle, et, vingt pas plus loin, elle sortait de l'*Hirondelle*.

Objectif initial de la lecture méthodique

Le passage peut être abordé dans la perspective de l'étude de *Madame Bovary* en œuvre complète.

Cet extrait rend compte de la technique de la description flaubertienne tout en permettant d'approfondir la caractérisation du personnage d'Emma.

Questions

❶ En vous appuyant sur le découpage du texte, dégagez les différents points de vue de la description.

❷ Caractérisez les différentes visions de la ville en étudiant notamment les sujets grammaticaux et les verbes (sémantisme et temps), les indices d'énonciation et les figures de style.

❸ Justifiez la comparaison entre Rouen et Babylone dans le troisième paragraphe.

❹ Construisez un plan de lecture méthodique qui mettrait en évidence le contraste entre les deux visions de Rouen.

B – Récit autobiographique

Rousseau

Les Confessions (1765-1770) (Livre II)   **
Jean-Jacques Rousseau

En 1728, Jean-Jacques Rousseau, âgé de seize ans, s'enfuit de Genève où il travaillait comme apprenti chez un graveur. En Savoie, un curé, M. de Pontverre, le recueille et lui recommande de se rendre à Annecy chez Mme de Warens, présentée comme une « bonne dame bien charitable », qui s'emploie à convertir les « âmes [dans] l'erreur » au catholicisme auquel elle s'est elle-même récemment convertie. Le jeune Jean-Jacques part donc pour Annecy.

J'arrive enfin ; je vois Mme de Warens. Cette époque de ma vie a décidé de mon caractère ; je ne puis me résoudre à la passer légèrement. J'étais au milieu de ma seizième année. Sans être ce qu'on appelle un beau garçon, j'étais bien pris dans ma petite taille ; j'avais un joli pied, la jambe fine, l'air dégagé, la physionomie animée, la bouche mignonne, les sourcils et les cheveux noirs, les yeux petits et même enfoncés, mais qui lançaient avec force le feu dont mon sang était embrasé. Malheureusement, je ne savais rien de tout cela, et de ma vie il ne m'est arrivé de songer à ma figure que lorsqu'il n'était plus temps d'en tirer parti. Ainsi j'avais avec la timidité de mon âge celle d'un naturel très aimant, toujours troublé par la crainte de déplaire. D'ailleurs, quoique j'eusse l'esprit assez orné, n'ayant jamais vu le monde, je manquais totalement de manières, et mes connaissances, loin d'y suppléer, ne servaient qu'à m'intimider davantage, en me faisant sentir combien j'en manquais.

Craignant donc que mon abord ne prévînt pas en ma faveur, je pris autrement mes avantages, et je fis une belle lettre en style d'orateur, où, cousant des phrases des livres avec des locutions d'apprenti, je déployais toute mon éloquence pour capter la bienveillance de Mme de Warens. J'enfermai la lettre de M. de Pontverre dans la mienne, et je partis pour cette terrible audience. Je ne trouvai point Mme de Warens ; on me dit qu'elle venait de sortir pour aller à l'église. C'était le jour des Rameaux de l'année 1728. Je cours pour la suivre : je la vois, je l'atteins, je lui parle… Je dois me souvenir du lieu ; je l'ai souvent depuis mouillé de mes larmes et couvert de mes baisers. Que ne puis-je entourer d'un balustre d'or cette heureuse place ! Que n'y puis-je attirer les hommages de toute la terre ! Quiconque aime à honorer les monuments du salut des hommes n'en devrait approcher qu'à genoux.

---

1 – Objectif initial

Cet extrait des *Confessions* sera abordé dans le cadre d'une étude de l'œuvre complète. On pourra comparer ce prélude à la rencontre avec Mme de Warens avec quelques autres des nombreux passages concernant ce personnage si aimé et idéalisé par Jean-Jacques Rousseau.

2 – Observation du paratexte

Rédigées entre 1765 et 1770, et publiées à titre posthume en 1782 et 1789, *Les Confessions* répondent à un objectif précis de l'auteur. Après la condamnation à Paris et à Genève du *Contrat social* et de *l'Émile*, Rousseau se sent persécuté par ses détracteurs (dont Voltaire est l'un des plus virulents) ; il éprouve le besoin de se justifier au moyen d'une œuvre autobiographique qui dira la vérité et expliquera ce qu'il est en retraçant les événements de son passé. Cet autoportrait singulier aura en outre une valeur exemplaire et universelle : « Je veux montrer à mes semblables un homme dans toute la vérité de la nature ; et cet homme ce sera moi » déclare l'auteur au début du Livre I. Si Rousseau emprunte le titre de son œuvre à celle de Saint Augustin, *Les Confessions* inaugurent le genre moderne de l'autobiographie.

Le livre II est le seul, des douze livres qui composent l'œuvre, à recouvrir une seule année (1728) de la vie de l'auteur. C'est dire que cette seizième année marque une étape importante aux yeux de Jean-Jacques : ce fut en effet l'époque de ses premières errances, de la rencontre avec Mme de Warens, de sa conversion au catholicisme et aussi du premier « crime » qui lui pesa sur la conscience (le vol d'un ruban, qu'il imputa à une jeune servante).

3 – Identification du texte

Contrairement à ce que pourraient laisser entendre les deux mentions « je vois Mme de Warens », « je la vois », ce texte, tel qu'il est ici délimité, ne raconte pas à proprement parler la première rencontre avec Mme de Warens (qui fait l'objet de la suite immédiate du passage) mais les circonstances de cette rencontre et l'état du narrateur à ce moment décisif. Et surtout cet événement est abordé à la lumière de l'importance qu'il prendra par la suite. D'où le mélange d'autoportrait, de récit et de commentaire rétrospectifs, qui compose cet extrait.

4 – Outils d'analyse

a) Structure

La composition du texte se délimite aisément. Après une brève annonce initiale du caractère décisif de la rencontre avec Mme de Warens, le narrateur esquisse avec humour son autoportrait à cette époque de sa vie, puis raconte la solution de compromis qu'il choisit (rédaction d'une lettre). Vient enfin le moment de la rencontre proprement dite, dont le récit est à nouveau différé par une célébration lyrique du lieu inoubliable de cet événement.

Pareille structure révèle une habile stratégie de retardement du récit attendu, qui à la fois tient le lecteur en haleine et anticipe à mots couverts sur la suite de l'autobiographie, tout en permettant au narrateur de laisser libre cours aux deux tendances favorites de sa plume que sont l'humour attendri et le lyrisme.

b) Énonciation

1) La voix : qui parle ?

Le « je » grammatical renvoie à un double référent : le « je » du narrateur adulte raconte et analyse *a posteriori* les faits et gestes du « je » correspondant au « moi » du passé. Ce dédoublement, marqué également par les temps verbaux, est sensible dès les premières phrases : « J'arrive enfin ; je vois Mme de Warens. Cette époque de ma vie a décidé de mon caractère ; je ne puis me résoudre à la passer légèrement ». La formulation de la dernière phrase est proche de celle de la maxime avec l'emploi du pronom indéfini « quiconque » et du génitif « des hommes » qui tendent vers la généralisation.

2) Le point de vue : qui voit ?

Parallèlement à la double valeur du « je », on observe une double focalisation : la focalisation interne correspondant au personnage adolescent (« Je cours pour la suivre : je la vois, je l'atteins, je lui parle... ») laisse souvent place à la focalisation zéro du narrateur omniscient (« Malheureusement, je ne savais rien de tout cela... »).

c) Cadre spatio-temporel

1) Repères spatiaux

Le lieu de la rencontre fait l'objet d'une célébration plutôt que d'une description : « Je dois me souvenir du lieu », « cette heureuse place », pronoms adverbiaux « y » et « en ». La référence contextuelle à « l'église » et au jour des « Rameaux » contribue à sacraliser ce lieu en tant que monument du souvenir. En outre, le lieu désigne par métonymie Mme de Warens, consacrée telle une divinité par l'auteur.

2) Repères temporels

Plusieurs temps verbaux sont employés dans le passage et correspondent à des valeurs spécifiques.

– LE PRÉSENT DE NARRATION : « J'arrive », « je vois », « je cours », « je la vois, je l'atteins, je lui parle... » Il est réservé à la relation des événements du passé que le narrateur s'efforce de revivre et auxquels il confère une forte valeur émotive.

– LE PRÉSENT DE VÉRITÉ GÉNÉRALE dans la maxime finale.

– LE PASSÉ SIMPLE employé pour quelques verbes du second paragraphe retrace une succession d'actions singulières et accomplies dans le passé.

– L'IMPARFAIT s'accorde avec la description physique et morale de l'adolescent.

– LE PASSÉ COMPOSÉ : « a décidé », « de ma vie il ne m'est arrivé de songer », « je l'ai souvent mouillé de mes larmes et couvert de mes baisers ». Malgré son aspect accompli, ce temps prend en considération tout l'intervalle qui sépare ces événements passés du présent de l'écriture.

– Dans les deux exclamations, « Que ne puis-je entourer... » et « Que n'y puis-je attirer... », LE SUBJONCTIF a une valeur d'irréel du présent, correspondant à l'expression du regret.

d) Champs lexicaux et figures de style

1) Champ lexical

■ *La sensibilité*

Le champ lexical majeur est celui de la sensibilité et de la caractérisation psychologique et morale : « mon caractère », « la physionomie animée », « avec force », « le feu dont mon sang était embrasé », « la timidité de mon âge », « un naturel très aimant », « la crainte de déplaire », « l'esprit assez orné », « m'intimider », « sentir », « craignant », « capter la bienveillance », « terrible », « mouillé de mes larmes et couvert de mes baisers », « heureuse place », « hommages ». On retrouve dans cet autoportrait deux des traits constants affirmés dans *Les Confessions* : d'une part, l'extrême sensibilité de l'auteur (cf. « le feu dont mon sang était embrasé » et « un naturel très aimant ») ; d'autre part, le décalage entre sa sensibilité et son esprit et, par conséquent, l'écart entre l'apparence que perçoivent les autres et son être profond. Ce qui explique ici que, « craignant [...] que [son] abord ne prévînt pas en [sa] faveur », le jeune Jean-Jacques recourt à l'expédient d'une lettre au style sans doute ampoulé.

On notera en outre que l'expression « capter la bienveillance de Mme de Warens » est la traduction quasi littérale du syntagme latin « *captatio benevolentiae* » désignant la stratégie rhétorique d'un auteur qui cherche à gagner l'intérêt et la faveur de son lecteur. Cette expression pourrait bien convenir au projet d'ensemble des *Confessions* où Rousseau se fait sans cesse le juge et l'avocat de lui-même, et où l'auto-analyse, souvent teintée d'auto-accusation, vise à éveiller la sympathie du lecteur à l'égard de l'auteur.

2) Figures de style
– MÉTAPHORE : « cousant des phrases des livres avec des locutions d'apprenti ». La métaphore qui identifie l'acte d'écrire à celui de « coudre » a ici une valeur humoristique : elle suggère que la lettre écrite par Jean-Jacques révèle davantage ses talents d'« apprenti » (statut qu'il vient en effet de quitter en fuyant Genève) que d'« orateur » et que le style appliqué de cette lettre semble laborieux et artificiel.
– LA MÉTONYMIE « [les hommages] de toute la terre » s'accorde avec la généralisation et l'envolée lyrique qui caractérisent les dernières phrases du texte.
– LES PÉRIPHRASES « cette heureuse place » et « les monuments du salut des hommes » désignent sans le nommer ni le décrire le lieu de la rencontre avec Mme de Warens. Elles participent de la stratégie de retardement de la narration, déjà signalée (le lieu — au demeurant fort banal — ne sera en effet caractérisé qu'au paragraphe suivant) et permettent de sacraliser cet endroit, mythique aux yeux de l'auteur. En plus de sa connotation religieuse, l'expression « monuments du salut » témoigne du souci de perpétuer le souvenir, ce qui est l'une des fonctions de l'écriture autobiographique.

e) Syntaxe, ponctuation, rythme

La construction syntaxique la plus remarquable dans ce texte est la parataxe, dans les quatre phrases suivantes où les propositions sont juxtaposées par des points-virgules ou deux-points : « J'arrive enfin ; je vois Mme de Warens. Cette époque de ma vie a décidé de mon caractère ; je ne puis me résoudre à la passer légèrement. » / « Je cours pour la suivre : je la vois, je l'atteins, je lui parle… Je dois me souvenir du lieu ; je l'ai souvent depuis mouillé de mes larmes et couvert de mes baisers ». Ce procédé paratactique produit un effet de style coupé, qui dramatise le récit et lui confère une forte valeur émotive. En outre, on ne manquera pas de souligner la ressemblance syntaxique et rythmique de la proposition « Je la vois, je l'atteins, je lui parle… » avec l'un des plus fameux vers raciniens :

Je le vis, je rougis, je pâlis à sa vue. (*Phèdre*, Acte I, scène 3)

f) Tons

Deux tonalités se succèdent, ou parfois s'entremêlent, dans le texte : l'humour et le lyrisme.
L'humour, favorisé par le décalage temporel entre le temps de l'histoire et celui de la narration, domine les deux tiers du passage. Ainsi, après un autoportrait physique, plutôt flatteur (et marqué par une grâce assez féminine) du jeune homme qu'il était à seize ans, l'auteur ajoute « Malheureusement, je ne savais rien de tout cela ». Cette correction vient contredire les prévisions du lecteur, qui pouvait s'attendre à ce que l'adolescent tire profit de ses attraits. L'auto-ironie est également sensible dans la mention « je fis une belle lettre en style d'orateur où, cousant des phrases des livres avec des locutions d'apprenti, je déployais toute mon éloquence… » (voir l'étude de la métaphore) et l'expression « cette terrible audience ».
En revanche, cette tonalité humoristique s'efface vers la fin du texte au profit d'un lyrisme sans retenue, produit par les registres lexicaux, les modalités exclamatives, et

les tours généralisants et solennels dans la dernière phrase. La commémoration sacralisante du lieu de la rencontre prend en compte l'avenir de la relation avec Mme de Warens ; Rousseau témoigne ainsi non seulement de l'intensité des sentiments vécus lors de cette expérience amoureuse, mais aussi de la force persistante du souvenir en dépit du temps passé.

Clés de lecture

L'examen méthodique de cette page a mis en évidence deux axes d'étude principaux :
I. L'art de l'auto-analyse humoristique
II. La fonction d'idéalisation et de perpétuation du souvenir de l'écriture autobiographique

---

5 – Proposition de plan de lecture méthodique

• Introduction

Lorsqu'il entreprend de rédiger ses Confessions *en 1765, Jean-Jacques Rousseau assigne à ce projet autobiographique — le premier du genre — une double fonction : révéler la vérité de son être à la lumière de son passé, en se faisant juge et avocat de sa conduite qu'il croit condamnée ; mais aussi donner à son autoportrait singulier une valeur exemplaire et universelle.*

Le décalage temporel entre le narrateur et le héros des Confessions *se manifeste par une constante alternance du récit et de l'analyse qui oscille souvent entre l'humour et le lyrisme. C'est ce qui apparaît dans cet extrait du Livre II, relatant les circonstances de la rencontre avec Mme de Warens, personnage fondamental et mythique dans les amours de l'auteur.*

La lecture méthodique s'articulera autour des axes d'étude suivants :

I. Un autoportrait humoristique
1. L'adolescent naïf vu par l'écrivain accompli
   – Énonciation : voix et point de vue
   – Repères temporels
   – Champs lexicaux
2. L'art de la « *captatio benevolentiae* »
   – Structure (stratégie de retardement de la narration)
   – Figures de style (métaphore)
   – Ton humoristique
II. Un événement sacralisé : la rencontre avec Mme de Warens
1. L'idéalisation du récit
   – Figures de style (métonymies et périphrases)
   – Syntaxe, ponctuation, rythme
   – Valeur émotive des registres et du récit
2. Lyrisme autobiographique et perpétuation du souvenir
   – Temps et modes verbaux
   – Repères spatiaux
   – Ton lyrique

• Conclusion

L'étude de cette page des Confessions *montre la distance prise par l'auteur-narrateur à l'égard du jeune homme qu'il fut. Si le ton humoristique dévoile les pièges et les charmes de la timidité naïve, il n'exclut pas une certaine complaisance qui cherche à susciter l'émotion et la sympathie du lecteur. Ainsi l'écriture autobiographique, telle que la pratique Rousseau, permet d'idéaliser le souvenir et tente de l'immortaliser en faisant du récit le « monument » du passé disparu.*

Sartre

Les Mots (1963)   **
Jean-Paul Sartre

Ma vérité, mon caractère et mon nom étaient aux mains des adultes ; j'avais appris à me voir par leurs yeux ; j'étais un enfant, ce monstre qu'ils fabriquent avec leurs regrets. Absents, ils laissaient derrière eux leur regard, mêlé à la lumière ; je courais, je sautais à travers ce regard qui me conservait ma nature de petit-fils modèle, qui continuait à m'offrir mes jouets et l'univers. Dans mon joli bocal, dans mon âme, mes pensées tournaient, chacun pouvait suivre leur manège : pas un coin d'ombre. Pourtant, sans mots, sans forme ni consistance, diluée dans cette innocente transparence, une transparente certitude gâchait tout : j'étais un imposteur. Comment jouer la comédie sans savoir qu'on la joue ? Elles se dénonçaient d'elles-mêmes, les claires apparences ensoleillées qui composaient mon personnage : par un défaut d'être que je ne pouvais ni tout à fait comprendre ni cesser de ressentir. Je me tournais vers les grandes personnes, je leur demandais de garantir mes mérites : c'était m'enfoncer dans l'imposture. Condamné à plaire, je me donnais des grâces qui se fanaient sur l'heure ; je traînais partout ma fausse bonhomie, mon importance désœuvrée, à l'affût d'une chance nouvelle : je croyais la saisir, je me jetais dans une attitude et j'y retrouvais l'inconsistance que je voulais fuir. Mon grand-père somnolait, enveloppé dans son plaid ; sous sa moustache broussailleuse, j'apercevais la nudité rose de ses lèvres, c'était insupportable : heureusement, ses lunettes glissaient, je me précipitais pour les ramasser. Il s'éveillait, m'enlevait dans ses bras, nous filions notre grande scène d'amour : ce n'était plus ce que j'avais voulu. Qu'avais-je voulu ? J'oubliais tout, je faisais mon nid dans les buissons de sa barbe. J'entrais à la cuisine, je déclarais que je voulais secouer la salade ; c'étaient des cris, des fous rires : « Non, mon chéri, pas comme ça ! Serre bien fort ta petite main : voilà ! Marie, aidez-le ! Mais c'est qu'il fait ça très bien ». J'étais un faux enfant, je tenais un faux panier à salade ; je sentais mes actes se changer en gestes. La Comédie me dérobait le monde et les hommes : je ne voyais que des rôles et des accessoires ; servant par bouffonnerie les entreprises des adultes, comment eussé-je pris au sérieux leurs soucis ? Je me prêtais à leurs desseins avec un empressement vertueux qui me retenait de partager leurs fins. Étranger aux besoins, aux espoirs, aux plaisirs de l'espèce, je me dilapidais froidement pour la séduire ; elle était mon public, une rampe de feu me séparait d'elle, me rejetait dans un exil orgueilleux qui tournait vite à l'angoisse.

1 – Objectif initial

La lecture méthodique de cet extrait s'attachera à dégager les caractéristiques de l'écriture autobiographique.

2 – Observation du paratexte

Le récit autobiographique *Les Mots* est divisé en deux parties : « Lire » (d'où est extrait le passage étudié) et « Écrire ». Ces titres invitent à mettre en question le rapport de l'enfant au langage, son rôle fondateur dans la naissance d'une vocation d'écrivain.

3 – Identification du texte

Le discours du narrateur-personnage prédomine ici sur le récit anecdotique qui ne sert qu'à illustrer l'analyse critique rétrospective à laquelle se livre Sartre. En témoigne la démystification sans appel qui suit chaque relation d'un fait (« J'étais un faux enfant, je tenais un faux panier à salade ; je sentais mes actes se changer en gestes » ou encore « Je me tournais vers les grandes personnes, je leur demandais de garantir mes mérites : c'était m'enfoncer dans l'imposture »).

4 – Outils d'analyse

a) Structure

Cette page ne justifie aucun découpage systématique : elle se compose d'un paragraphe formant une unité cohérente. On peut cependant distinguer la relation de deux anecdotes accompagnées d'un passage au style direct et isoler la dernière phrase qui, énonçant le thème fondamental de « !'exil », constitue un point d'orgue de l'analyse.

b) Énonciation et point de vue

1) La voix et le point de vue : qui parle et qui voit ?

Le « je » du récit autobiographique désigne simultanément l'auteur, le narrateur, le héros. Ces trois instances renvoient cependant à des temps distincts de la narration qui autorisent une distance critique à l'égard des faits rapportés. Par exemple, l'anecdote de « la salade » se réfère au temps de l'histoire, tandis que l'interprétation qui en est proposée, par exemple, « la Comédie me dérobait le monde et les hommes » est le fait de l'auteur-narrateur, devenu adulte. Cependant, la narration mêle parfois ces instances de façon ambiguë. Ainsi la phrase : « ce n'était plus ce que j'avais voulu » peut être imputée autant à la conscience du personnage enfant, qu'à celle du narrateur adulte.

2) Indices d'énonciation

On peut relever plusieurs verbes à connotations péjoratives, employés à des fins démystificatrices de la comédie familiale : « Une transparente certitude gâchait tout », « elles se dénonçaient d'elles-mêmes », « c'était m'enfoncer dans l'imposture », « des grâces qui se fanaient sur l'heure », « je traînais partout ma fausse bonhomie », « je me dilapidais froidement ».

La distribution des pronoms dans le texte obéit à un principe récurrent qui oppose le « je » (monde de l'enfant) aux « ils », « eux », « leurs » (monde des adultes). Alors même que ces deux mondes n'existent que l'un par rapport à l'autre, ils apparaissent figés et voués à l'incommunicabilité : « Étranger aux besoins, aux espoirs, aux plaisirs de l'espèce, je me dilapidais froidement pour la séduire [...], une rampe de feu me séparait d'elle, me rejetait dans un exil orgueilleux qui tournait vite à l'angoisse ».

c) Cadre temporel

Le temps dominant est l'imparfait de l'indicatif à valeur itérative. Cet emploi marque la répétition d'un rituel familial dans le passé de l'enfance que le narrateur envisage ici dans sa globalité, sans repères chronologiques précis.

L'emploi ponctuel d'un verbe au subjonctif plus-que-parfait exprime l'irréel du passé (« comment eussé-je pris au sérieux leurs soucis ? »), qui est l'un des modes et temps privilégiés de l'analyse rétrospective.

Deux verbes conjugués au présent de l'indicatif prennent une valeur de vérité générale : « j'étais un enfant, ce monstre qu'ils fabriquent avec leurs regrets », « Comment jouer la comédie sans savoir qu'on la joue ? »

d) Champs lexicaux et figures de style

1) Champs lexicaux

■ La comédie mystificatrice

Un champ lexical prédominant traverse l'ensemble du texte : celui de la comédie mystificatrice qui transforme l'enfant en marionnette soumise au regard et au désir des adultes. Entre autres occurrences, on relèvera : « Ma vérité, mon caractère et mon nom étaient aux mains des adultes », « j'étais un imposteur », « jouer la comédie », « les claires apparences ensoleillées qui composaient mon personnage », « Condamné à plaire » « ma fausse bonhomie », « je me jetais dans une attitude », « nous filions notre grande scène d'amour », « La Comédie me dérobait le monde et les hommes : je ne voyais que des rôles et des accessoires », « elle était mon public, une rampe de feu me séparait d'elle ».

■ La nature

Un second champ lexical, le plus souvent constitué par des métaphores, renvoie à la notion de nature, qu'il s'agisse de la nature falsifiée de l'enfant (aboutissant à une absence d'identité) ou de la nature au sens concret : « ce monstre qu'ils fabriquent avec leurs regrets », « ma nature de petit-fils modèle », « pas un coin d'ombre », « les claires apparences ensoleillées », « un défaut d'être », « je me donnais des grâces qui se fanaient sur l'heure », « étranger aux besoins, aux espoirs, aux plaisirs de l'espèce ». Et l'enfant semble trouver obscène la vision du grand-père somnolent, dont le corps se laisse aller à une naturalité dénuée de tout rituel ou attitude codée : « sous sa moustache broussailleuse, j'apercevais la nudité rose de ses lèvres, c'était insupportable ».

La comédie imposée par les adultes, dans laquelle se complaît l'enfant, prive celui-ci de toute spontanéité, nie sa liberté, et le réduit au rang d'une créature artificielle. Les deux expressions « ce monstre qu'ils fabriquent avec leurs regrets » et « je sentais mes actes se changer en gestes » s'avèrent particulièrement significatives de cette perversion. Ce jeu inconscient auquel se livrent les adultes enferme l'enfant dans un isolement vécu comme « un exil orgueilleux qui tournait vite à l'angoisse ».

Ces registres de la comédie mystificatrice et des attitudes figées en des rôles ritualisés font écho à la philosophie existentialiste. Dans *L'Être et le Néant* (1943), Sartre développe la théorie selon laquelle exister consiste à assumer sa liberté en se projetant vers l'avenir et en choisissant ses propres valeurs ; mais certains individus se réfugient dans la « mauvaise foi » en n'existant que par le regard des autres et en assujettissant leur liberté à la volonté d'autrui. Dans *Les Mots*, on pourrait dire par analogie que Sartre réinterprète son enfance et les origines de sa « névrose » à la lumière de sa conception philosophique. En témoignent la présence d'un vocabulaire spécifique aux écrits sartriens tel que : « l'imposture », « condamné à plaire » (retournant l'expression « condamné à être libre » qu'on trouve dans *L'Être et le Néant*) et les termes « attitudes », « gestes », « actes ».

2) Figures de style

En ce qui concerne les figures de style, peu nombreuses, on signalera les quelques métaphores associées au registre de la nature, ainsi qu'une construction en chiasme (« diluée dans cette innocente transparence, une transparente certitude gâchait tout ») qui manifeste un goût de la formule lapidaire.

e) Syntaxe et ponctuation

La rareté des liens de subordination et la fréquence des points-virgules et des deux-points mettent en évidence des constructions en parataxe. Ce procédé confère à l'écriture sartrienne sécheresse et efficacité.

Deux interrogations rhétoriques : « Comment jouer la comédie sans savoir qu'on la joue ? » et « comment eussé-je pris au sérieux leurs soucis ? », participent de la visée analytique et démonstrative de cette page.

f) Tons

De nombreuses expressions sont empreintes d'auto-ironie qui dénotent un regard sans complaisance ni émotion de l'auteur-narrateur adulte envers l'enfant qu'il était : « Dans mon joli bocal », « Condamné à plaire, je me donnais des grâces qui se fanaient sur l'heure », « ma fausse bonhomie », « mon importance désœuvrée », « servant par bouffonnerie les entreprises des adultes », etc.

Ce ton ironique va de pair avec un style « clinique », comme si l'écriture autobiographique avait pour fonction d'énoncer le diagnostic de la névrose.

Clés de lecture
La grille d'analyse a permis de dégager deux centres d'intérêt principaux :
I. La fonction d'auto-analyse critique dévolue au récit autobiographique
II. Le portrait d'un enfant victime consentante du jeu de manipulation des adultes

---

5 – Proposition d'axes de lecture méthodique

• Introduction

Le récit autobiographique Les Mots *raconte l'enfance de Sartre placée sous le signe d'une vocation littéraire imposée par le milieu familial et social de l'auteur. Le projet qui retrace la chronologie de ce cheminement en deux étapes intitulées « Lire » et « Écrire » vise essentiellement à dénoncer cette sacralisation de la littérature et les contraintes que l'enfant subit.*

A cet égard, le texte proposé analyse froidement les relations familiales perverties par une constante « Comédie » instituée par les adultes, et à laquelle l'enfant se livre complaisamment.

La lecture méthodique s'articulera autour des axes suivants :

I. Un regard critique sur soi-même
1. La fonction d'analyse de l'autobiographie
   – Prédominance du discours sur le récit
   – Énonciation
2. Une écriture clinique
   – Syntaxe
   – Ton (auto-ironie et dérision)
II. La démystification de la comédie familiale
1. L'enfant, marionnette des adultes
   – Champs lexicaux (Comédie et nature falsifiée) et figures de style (métaphores)
   – Temporalité d'un rituel familial
2. Une double étrangeté à soi-même et au monde
   – Connotations péjoratives
   – Distribution des pronoms
   – Champ lexical de l'étrangeté

• *Conclusion*

C'est avec un regard dépourvu de toute indulgence que Sartre met à nu les ressorts de la dynamique familiale qui ont, selon lui, déterminé sa « névrose ».

Le retour sur le passé opéré par l'écriture autobiographique, apparaît ici comme la vérification et l'illustration des postulats de la philosophie existentialiste sartrienne.

Leiris

Le Ruban au cou d'Olympia (1981)   *******
Michel Leiris

Fumant une cigarette en prenant le thé du matin dans ma chambre parisienne, il me vient parfois l'envie — irraisonnée mais ressentie avec acuité — de fumer une cigarette. Or je suis en train, précisément, de fumer et il est donc absurde de souhaiter faire ce que, tout simplement, je suis en train de faire. Sans doute, ce que je souhaite en vérité, c'est la détente que procure l'acte de fumer (assis et le coude droit reposant dans la paume gauche, tenir la Rothmans entre l'index et le majeur de la main droite, la porter à ma bouche pour aspirer profondément la fumée, détacher de mes lèvres le bout liégé puis expulser la fumée de préférence par les narines, substituer de temps à autre le pouce à l'index pour libérer celui-ci qui de deux petits coups tapotés sur le cylindre à l'extrémité incandescente fera tomber la cendre dans le cendrier 1900 très camelote dont le bord est orné d'une toute jeune tête féminine en haut-relief qui regarde vers l'extérieur et, yeux au ciel, semble émerger du double flot de l'interminable chevelure encerclant l'épais calice de métal à peine creusé). Mais cette détente que j'escomptais quand, à la flamme de mon briquet, j'ai allumé la cigarette ne s'est pas opérée et comme je reste dans l'exact état auquel je voulais mettre fin en fumant, je garde le même désir, né du même sentiment d'un manque, et ce désir a pour objet — affaire peut-être de pli pris engendrant un automatisme ? — cette chose que je suis en train de faire et qui, inopérante, laisse mon désir intact — ce désir de détente qui, raisonnablement, devrait me conduire maintenant vers autre chose que ce palliatif dont, sans résultat, je suis en train d'user.

Durant un instant, je suis habité si entièrement par ce désir qu'il ne me vient pas à l'esprit que, fumant et songeant à fumer comme si je ne le faisais pas, mon désir a pour objet la chose que je n'ai pas à désirer puisque, présentement, je la réalise et que, d'ailleurs, ce désir est absurde à un autre titre encore, sa persistance montrant l'inutilité de cette chose incapable de le combler, malgré le vague petit plaisir qu'elle peut donner. Quand, presque tout de suite, je découvre que la chose que j'ai envie de faire est justement celle que je fais, mais que mon désir ainsi assouvi sous la forme mineure qu'il avait prise demeure inassouvi, je suis certes mortifié par mon étourderie comme par un signe d'érosion cérébrale, mais surtout j'éprouve un léger vertige, sentant que, même si j'ai pour excuse de ne pas être encore bien réveillé, une faille se manifeste là : celle qui continuera d'exister en profondeur alors même qu'en surface notre désir aura trouvé à se réaliser.

---

1 – Objectif initial

Ce texte sera choisi pour étudier le statut de la quotidienneté dans l'écriture autobiographique contemporaine.

2 – Observation du paratexte

Le titre de ce recueil de fragments de Michel Leiris, paru en 1981, fait référence au tableau d'Édouard Manet, l'*Olympia*. Le ruban noir noué autour du cou de la courtisane fascine l'écrivain comme ce « détail sans nécessité qui accroche et fait qu'Olympia existe ». Parure d'apparence anodine mais précieuse, le ruban semble être, aux yeux de Leiris, la marque distinctive qui accroît la présence troublante de la figure peinte. Mais, lit-on par ailleurs, ce détail « suggère bien plus que ce qu'exige sa modeste nature ». Au fil des pages, M. Leiris développe en effet de multiples exploitations métaphoriques du motif du ruban : fil de l'écriture, bien sûr, qui sert de lien au recueil fragmentaire, ou fil d'Ariane, mais aussi « corde qui [empêche de] sombrer » ou encore « lasso » grâce auquel on tente d'enserrer — d'exprimer — les choses difficilement saisissables. On gardera à l'esprit cette démarche de valorisation fétichiste du détail anodin pour analyser l'évocation, dans la page proposée, d'un geste des plus banals : fumer une cigarette.

3 – Identification du texte

A l'instar de chaque fragment recueilli dans *Le Ruban au cou d'Olympia*, ce texte forme un tout autonome et clos sur lui-même. La description fort détaillée d'un rituel quotidien — présenté dès la phrase initiale — sert de prétexte à une réflexion sur l'écart irréductible entre le désir et sa satisfaction véritable, qui fait naître le sentiment d'un manque existentiel.

4 – Outils d'analyse

a) Structure

Le fragment se compose de deux paragraphes de longueur inégale puisque le second comporte à peu près moitié moins de lignes que le premier. L'ensemble du texte est constitué de six phrases dont l'allongement tient non seulement à leur complexité syntaxique mais aussi à la présence de propositions insérées en incises ou entre parenthèses.

Le premier paragraphe décrit et analyse la sensation de « détente » souhaitée lors de l'acte de fumer censé produire cette sensation. Le second paragraphe développe la prise de conscience de la non-coïncidence entre la réalisation du désir et sa véritable satisfaction.

Cette structure révèle la coexistence du récit descriptif et du discours réflexif et auto-critique, qui est l'une des particularités de l'écriture autobiographique leirisienne.

b) Énonciation

1) Pronoms personnels et formules impersonnelles

L'énonciation à la première personne du singulier est bien sûr dominante, comme dans tout texte autobiographique où le « je » représente à la fois l'auteur-narrateur et le personnage. Seule la proposition finale du texte présente une entorse à cette règle : la première personne du pluriel qui y apparaît sous la forme de l'adjectif possessif « notre » constitue à la fois un appel à la complicité du lecteur et une généralisation de l'expérience évoquée telle qu'on peut la trouver dans un essai ou dans un texte philosophique.

On s'intéressera en outre à la fréquence des formules impersonnelles : tournures impersonnelles (« il me vient parfois l'envie », « il est donc absurde de souhaiter faire », « il ne me vient pas à l'esprit ») ou propositions infinitives indépendantes (dans la longue incise entre parenthèses décrivant avec force précisions la gestuelle rituelle du fumeur). Ces formulations témoignent de la tendance à généraliser l'expérience intime du « je ».

2) Indices d'énonciation

Le fragment comporte d'une part un grand nombre de termes de liaison logique : « mais », « or », « donc », puisque », « d'ailleurs », « à un autre titre encore », « malgré », « certes », « mais surtout », « même si », « alors même que ». D'autre part, on relève plusieurs modalisateurs qui indiquent l'appréciation du locuteur : « précisément », « tout simplement », « sans doute », « en vérité », « peut-être », « raisonnablement », « justement ».

Ces indices donnent au discours un tour fortement argumentatif et soucieux de raisonnement logique, ce qui, à première lecture, contraste avec l'objet ostensiblement banal du texte — ou plutôt du pré-texte.

c) Cadre spatio-temporel

1) Repères spatiaux

La première phrase localise la situation dans l'espace privé, intime même, de la « chambre parisienne » du locuteur dont l'attitude corporelle est ensuite décrite (« assis et le coude droit reposant dans la paume gauche… »). Un objet particulier du décor — le cendrier — donne lieu à une description détaillée accompagnée d'une ironique qualification péjorative : « le cendrier 1900 très camelote dont le bord est orné… » On retrouve ici le souci du détail et la tentative de rendre présents et signifiants les choses ou gestes de la vie la plus quotidienne. Cependant, la clausule du texte recourt à une métaphore spatiale pour énoncer l'objet principal de la réflexion : « celle [= la faille] qui continuera d'exister en profondeur alors même qu'en surface notre désir aura trouvé à se réaliser ». Les deux expressions « en profondeur / en surface » peuvent aussi se charger d'une valeur métatextuelle : le discours évoque une chose en « surface » (le souhait du fumeur) pour en suggérer une autre « en profondeur » (le désir en général), tandis que l'écriture de Leiris, avec ses circonvolutions parfois vertigineuses, semble achopper sur ce qu'elle voudrait saisir ou cerner — l'objet véritable, énigmatique, du désir.

2) Repères temporels

Le temps prédominant est le présent de l'indicatif, dont différentes valeurs sont exploitées. Le présent d'habitude, ou itératif, d'abord, permet d'évoquer le geste rituel du matin : « il me vient parfois l'envie […] de fumer une cigarette ». Il est ensuite relayé par le présent d'actualité, dont l'aspect duratif est souligné par la locution récurrente « en train de » ou l'adverbe « présentement » : « or je suis en train, précisément, de fumer », « ce que je suis en train de faire », « cette chose que je suis en train de faire », « je suis en train d'user », « présentement, je la réalise », etc. Enfin, le présent de vérité générale est employé dans les expressions telles que « il est donc absurde de… », « la détente que procure l'acte de fumer », « malgré le vague petit plaisir qu'elle peut donner ».

Les verbes à l'infinitif, dans la longue série de propositions infinitives indépendantes placée entre parenthèses, énoncent des actions virtuelles, sous un aspect inaccompli.

En revanche, l'aspect accompli de certains procès est exprimé par des verbes au passé composé (« j'ai allumé », « ne s'est pas opérée »), au plus-que-parfait (« sous la forme mineure qu'il avait prise ») ou au futur antérieur (« aura trouvé à se réaliser »).

Ce jeu sur la triple valeur de l'indicatif présent ainsi que sur l'opposition des aspects inaccompli / accompli, sert la finalité démonstrative du texte posant la béance entre les virtualités du désir et les insuffisances de sa réalisation.

d) Champs lexicaux et figures de style

1) Champs lexicaux

■ Le rituel du fumeur

Un premier champ lexical est, naturellement, consacré aux gestes du fumeur décrits comme un rituel minutieux : « fumant une cigarette en prenant le thé du matin », « l'acte de fumer », « tenir la Rothmans », « aspirer profondément la fumée », « détacher de mes lèvres le bout liégé puis expulser la fumée… », « le cylindre à l'extrémité incandescente », « cendrier », « la flamme de mon briquet », etc.

■ Le désir

Un second champ lexical majeur développe les notions de désir, plutôt frustré que satisfait, et de plaisir : « l'envie — irraisonnée mais ressentie avec acuité », « souhaiter faire », « la détente que procure », « cette détente que j'escomptais », « désir », « sentiment d'un manque », « palliatif », « incapable de le combler », « le vague petit plaisir », « envie de faire », « assouvi / inassouvi », « notre désir ».

Il n'est pas interdit de songer que ces deux champs lexicaux se chargent implicitement d'une symbolique sexuelle — de l'ordre d'une pratique plus solitaire que partagée.

■ Le rationnel et l'irrationnel

Enfin, un troisième champ lexical oppose les critères du rationnel et de l'irrationnel : outre les nombreux mots-outils de liaison logique déjà cités, on relèvera des termes tels que « irraisonnée », « absurde », « en vérité », « raisonnablement », « absurde à un autre titre encore ». C'est en effet un raisonnement logique poussé à l'absurde que nous offre l'auteur évoquant sa propre sensation de « vertige » tandis que son texte a parfois de quoi nous faire tourner la tête… L'argumentation progresse ainsi à l'image du ruban noir qui, noué autour du cou d'Olympia, se boucle sur lui-même.

2) Figures de style

– PÉRIPHRASES, REDONDANCES et RÉPÉTITIONS : outre la périphrase désignant la cigarette comme « le cylindre à l'extrémité incandescente », des expressions périphrastiques sont répétées à plusieurs reprises pour évoquer l'objet du désir : « ce que, tout simplement, je suis en train de faire », « cette chose que je suis en train de faire », « la chose que je n'ai pas à réaliser », « cette chose incapable de le combler », « la chose que j'ai envie de faire ». Si les répétitions et les redondances sont le signe d'une obsession, les périphrases et le signifié indéterminé du mot « chose » marquent la difficulté à nommer, donc à cerner, l'objet de la quête.

– IMAGES : la description à tonalité ironique du « cendrier 1900 » recourt à une comparaison « une toute jeune tête féminine en haut-relief qui […] semble émerger… », relayée par une métaphore « du double flot de l'interminable chevelure ». On retrouve cette intrication d'une comparaison et d'une métaphore dans le second paragraphe : « je suis certes mortifié par mon étourderie comme par un signe d'érosion cérébrale ». Dans les deux cas, qu'elles s'appliquent à un objet ou au locuteur lui-même, ces images revêtent une dimension péjorative.

e) Syntaxe et ponctuation

1) Syntaxe

On montrera la complexité remarquable de nombre des phrases leirisiennes à partir d'un exemple. Soit la phrase : « Durant un instant, je suis habité si entièrement par ce désir qu'il ne me vient pas à l'esprit que, fumant et songeant à fumer comme si je ne le faisais pas, mon désir a pour objet la chose que je n'ai pas à désirer puisque, présentement, je la réalise, et que, d'ailleurs, ce désir est absurde à un autre titre encore, sa persistance montrant l'inutilité de cette chose incapable de le combler, malgré le vague petit plaisir qu'elle peut donner ». L'enchâssement des propositions fait apparaître au fil de cette longue phrase : une première proposition principale / une subordonnée consécutive / une complétive / une participiale / une comparative / une relative / une causale / une seconde proposition principale coordonnée à la première par la conjonction « et » / une subordonnée participiale / une relative. En même temps que la sinuosité d'une telle phrase mime la complexité de l'interrogation, elle tend à faire de la lecture un parcours, riche en détours et rebondissements, dans un dédale de propositions.

Dans ces longues phrases complexes, des éléments sont mis en relief au moyen de la segmentation ou de présentatifs : « ce que je souhaite en vérité, c'est… », « ce désir de détente qui… » Ces procédés ménagent une pause rythmique et contribuent ainsi à créer la mélodie de la phrase.

2) Ponctuation

La ponctuation offre un autre moyen de mise en valeur de certaines propositions et de modulation rythmique. Ainsi, la mise entre parenthèses permet d'énumérer la succession de gestes du fumeur et d'inclure la description du cendrier. Les incises entre tirets, pour leur part, mettent en relief des qualificatifs (« l'envie — irraisonnée mais ressentie avec acuité — de fumer une cigarette »), ajoutent une hypothèse supplémentaire (« affaire peut-être de pli pris engendrant un automatisme ») ou enfin soulignent la chute habilement différée du premier paragraphe (« ce désir de détente qui, raisonnablement, devrait me conduire maintenant vers autre chose que ce palliatif dont, sans résultat, je suis en train d'user »). Quant à la chute du second paragraphe, elle est annoncée par les deux points qui ont une valeur à la fois explicative et conclusive.

f) Registres et tons

1) Registres

Si le registre employé est, dans son ensemble, relativement courant, Leiris manifeste ponctuellement son goût pour des termes précis ou techniques par des expressions telles que « le bout liégé » ou « haut-relief ». Seul le mot de « camelote » appartient à un registre plus familier, et prend une consonance d'autant plus ironique qu'il contraste avec le terme de « calice » (relevant d'un double registre, sacré ou botanique) utilisé pour décrire le même objet.

2) Tons

Ce fragment oscille entre l'auto-dérision ironique et la gravité teintée d'amertume. Si l'auteur semble juger sans indulgence son envie « irraisonnée » en la qualifiant à deux reprises d'absurdité, il manifeste une certaine complaisance dans l'évocation de rituels minutieux liés au confort de l'intimité avec soi-même. Il en va de même à l'égard de la hantise de la sénilité suggérée par des termes peu flatteurs (« je suis certes mortifié par mon étourderie comme par un signe d'érosion cérébrale »).

Cependant, la gravité affleure dès que la réflexion se porte sur le sentiment de manque et de constat d'échec qui dépasse de loin la simple frustration du fumeur. C'est ce que donnent à lire les termes privatifs : « sentiment d'un manque », « inopérante », « sans résultat », « l'inutilité de cette chose incapable de le combler, malgré le vague petit plaisir », « mon désir [...] demeure inassouvi », « une faille [...] qui continuera d'exister en profondeur ».

Clés de lecture

De cette analyse méthodique se dégagent deux axes dominants de lecture du fragment :

I. L'attention portée par l'autobiographe à des actes ou des objets de la vie quotidienne, qui fait de ceux-ci le support d'une réflexion plus générale

II. La recherche inaboutie de l'objet véritable du désir, qui est aussi l'enjeu d'une écriture complexe et sinueuse

---

5 – Proposition de plan de lecture méthodique

• *Introduction*

C'est souvent dans le quotidien d'apparence la plus insignifiante que certains autobiographes contemporains traquent des indices riches de sens. En intitulant l'un de ses recueils fragmentaires Le Ruban au cou d'Olympia, *Michel Leiris révèle sa fascination pour le détail promu en marque insigne.*

Ainsi, le fragment qui nous est proposé s'attache à décrire minutieusement le rituel du fumeur et la sensation recherchée. Mais au fil du texte, la réflexion glisse de l'analyse d'une insolite frustration au constat d'un écart irréductible entre le désir virtuel et sa satisfaction effective, sur le plan existentiel le plus général.

La lecture méthodique s'organisera autour des axes suivants :

I. Description minutieuse d'un rituel quotidien
1. L'insigne banalité
    – Observation du paratexte et identification du texte
    – Ponctuation (incises et parenthèses)
    – Registres
2. De l'expérience particulière à la réflexion générale
    – Structure
    – Énonciation (pronoms personnels et formules impersonnelles)
II. L'introuvable objet du désir
1. Un désir évanoui en fumée
    – Champs lexicaux
    – Figures de style
2. Une écriture mimétique de la quête inaboutie
    – Indices d'énonciation
    – Syntaxe
    – Tons

• *Conclusion*

En portant une attention privilégiée à des faits et gestes d'apparence insignifiante, l'écriture autobiographique telle que la pratique Michel Leiris fait ressortir des indices révélateurs et riches de sens dans la vie quotidienne. La polysémie des mots et la subtilité complexe des phrases permettent également des lectures diverses d'une expérience particulière. Mais la connaissance de soi au moyen de l'écriture ne saurait aboutir à une définition fixe et achevée de l'individu, pas plus que le désir, en ses infinies virtualités, ne peut se satisfaire d'une réalisation circonscrite.

Exercices d'entraînement

I.

> ***Essais*** (1580) ✱
> (1re édition)
> Montaigne
>
> AU LECTEUR
>
> C'est ici un livre de bonne foi, lecteur. Il t'avertit dès l'entrée que je ne m'y suis proposé aucune fin, que domestique et privée. Je n'y ai eu nulle considération de ton service, ni de ma gloire. Mes forces ne sont pas capables d'un tel dessein. Je l'ai voué à la commodité particulière de mes parents et amis : à ce que m'ayant perdu (ce qu'ils ont à faire bientôt) ils y puissent retrouver aucuns traits de mes conditions et humeurs, et que par ce moyen ils nourrissent plus entière et plus vive la connaissance qu'ils ont eue de moi. Si c'eût été pour rechercher la faveur du monde, je me fusse mieux paré et me présenterais en une marche étudiée. Je veux qu'on m'y voie en ma façon simple, naturelle et ordinaire, sans contention et artifice : car c'est moi que je peins. Mes défauts s'y liront au vif, et ma forme naïve, autant que la révérence publique me l'a permis. Que si j'eusse été entre ces nations qu'on dit vivre encore sous la douce liberté des premières lois de nature, je t'assure que je m'y fusse très volontiers peint tout entier, et tout nu. Ainsi, lecteur, je suis moi-même la matière de mon livre : ce n'est pas raison que tu emploies ton loisir en un sujet si frivole et si vain ; à Dieu donc.
>
> De Montaigne, ce premier de mars mille cinq cent quatre-vingts.

Objectif initial de la lecture méthodique

La lecture méthodique de ce prologue pourra s'attacher à l'analyse de la fonction du « pacte autobiographique » entre l'auteur et le lecteur.

Questions

❶ Étudiez les pronoms personnels et dégagez la nature du contrat que Montaigne entend nouer avec son public. Quels sont les différents destinataires des *Essais* ?

❷ Comment l'auteur définit-il, à travers le choix du lexique, la finalité de l'écriture autobiographique, le rôle dévolu à la sincérité dans son œuvre ?

❸ En relevant les connecteurs logiques, montrez que Montaigne construit une argumentation qui prend la forme d'un paradoxe.

❹ Construisez un plan de lecture méthodique qui envisagera les motivations à la fois sociales et individuelles de l'écriture autobiographique.

II.

Histoire de ma vie (1854)   **
George Sand

Somme toute, avec des cheveux, des yeux, des dents et aucune difformité, je ne fus ni laide ni belle dans ma jeunesse, avantage que je considère comme sérieux à mon point de vue, car la laideur inspire des préventions dans un sens, la beauté dans un autre. On attend trop d'un extérieur brillant, on se méfie trop d'un extérieur qui repousse. Il vaut mieux avoir une bonne figure qui éblouit et n'effraye personne, et je m'en suis bien trouvée avec mes amis des deux sexes.

J'ai parlé de ma figure, afin de n'avoir plus du tout à en parler. Dans le récit de la vie d'une femme, ce chapitre, menaçant de se prolonger indéfiniment, pourrait effrayer le lecteur ; je me suis conformée à l'usage, qui est de faire la description extérieure du personnage que l'on met en scène, et je l'ai fait dès le premier mot qui me concerne, afin de me débarrasser complètement de cette puérilité dans tout le cours de mon récit ; j'aurais peut-être pu ne pas m'en occuper du tout ; j'ai consulté l'usage, et j'ai vu que des hommes très sérieux, en racontant leur vie, n'avaient pas cru devoir s'y soustraire. Il y aurait donc eu peut-être une apparence de prétention à ne pas payer cette petite dette à la curiosité souvent un peu niaise du lecteur.

Je désire pourtant qu'à l'avenir on se dérobe à cette exigence des curieux, et que si on est absolument forcé de tracer son portrait, on se borne à copier sur son passeport le signalement rédigé par le commissaire de police de son quartier, dans un style qui n'a rien d'emphatique ni de compromettant. Voici le mien : yeux noirs, cheveux noirs, front ordinaire, teint pâle, nez bien fait, menton rond, bouche moyenne, taille quatre pieds dix pouces, signes particuliers, aucun.

Objectif initial de la lecture méthodique

La lecture méthodique de ce passage pourra notamment étudier la fonction de l'autoportrait dans un récit autobiographique.

Questions

❶ Analysez la signification des adresses au lecteur et montrez par quels procédés l'auteur cherche à se prémunir par anticipation de toute critique de la part de ses destinataires virtuels.

❷ A l'aide des indices d'énonciation et du sémantisme des verbes, montrez que l'auteur entend dresser un autoportrait objectif.

❸ Sous quelle forme et par quels procédés s'effectue la critique des codes du récit autobiographique ?

❹ En quoi le statut de « femme » de George Sand permet-il de justifier son argumentation quant au genre du portrait ?

❺ Organisez un plan de lecture méthodique visant à montrer comment la narratrice recourt à l'ironie afin de prendre ses distances avec la tradition de l'autoportrait.

III–Théâtre

Corneille

La Place royale ou l'Amoureux extravagant (1633) (II, 2)   ★★★
Pierre Corneille

Alidor, amoureux et aimé d'Angélique, décide de sacrifier son amour à sa liberté. Au nom d'un principe paradoxal : « Puisqu'elle me plaît trop, il me lui faut déplaire » il va imaginer plusieurs stratagèmes pour se libérer des « chaînes » de la passion amoureuse. Ainsi, dans la scène 1 de l'acte II, Angélique reçoit, des mains d'un domestique, une lettre d'Alidor adressée à une autre jeune fille ; c'est le contenu de cette lettre qui va nous être révélé au cours de la scène suivante, où Angélique, fort courroucée, affronte un Alidor d'humeur apparemment badine.

Alidor lit la lettre entre les mains d'Angélique.

LETTRE SUPPOSÉE
d'Alidor à Clarine

Clarine, je suis tout à vous,
Ma liberté vous rend les armes,
Angélique n'a point de charmes
Pour me défendre de vos coups,
Ce n'est qu'une idole mouvante,
Ses yeux sont sans vigueur, sa bouche sans appas,
Quand je la crus d'esprit je ne la connus pas,
Et de quelques attraits que le monde vous vante,
Vous devez mes affections
Autant à ses défauts, qu'à vos perfections.

ANGÉLIQUE
Eh bien, ta trahison est-elle en évidence ?

ALIDOR
Est-ce là tant de quoi ?

ANGÉLIQUE
Tant de quoi ! L'impudence !
Après mille serments il me manque de foi,
Et me demande encor si c'est là tant de quoi !

Change, si tu le veux, je n'y perds qu'un volage,
Mais en m'abandonnant laisse en paix mon visage,
Oublie avec ta foi ce que j'ai de défauts ;
N'établis point tes feux sur le peu que je vaux,
Fais que sans m'y mêler ton compliment s'explique
Et ne le grossis point du mépris d'Angélique.

ALIDOR

Deux mots de vérité vous mettent bien aux champs.

ANGÉLIQUE

Ciel, tu ne punis point des hommes si méchants !
Ce traître vit encor, il me voit, il respire,
Il m'affronte, il l'avoue, il rit quand je soupire.

ALIDOR

Vraiment le ciel a tort de ne vous pas donner,
Lorsque vous tempêtez, son foudre à gouverner,
Il devrait avec vous être d'intelligence.

Angélique déchire la lettre et en jette les morceaux.

Le digne et grand objet d'une haute vengeance !
Vous traitez du papier avec trop de rigueur.

ANGÉLIQUE

Je voudrais en pouvoir faire autant de ton cœur.

ALIDOR

Qui ne vous flatte point puissamment vous irrite,
Pour dire franchement votre peu de mérite
Commet-on envers vous des forfaits si nouveaux
Qu'incontinent on doive être mis en morceaux ?
Si ce crime autrement ne saurait se remettre,

Il lui présente aux yeux un miroir qu'elle porte pendu à sa ceinture.

Cassez, ceci vous dit encor pis que ma lettre.

ANGÉLIQUE

S'il me dit mes défauts autant ou plus que toi,
Déloyal, pour le moins il n'en dit rien qu'à moi,
C'est dedans son cristal que je les étudie,
Mais après il s'en tait, et moi j'y remédie,
Il m'en donne un avis sans me les reprocher,
Et me les découvrant, il m'aide à les cacher.

ALIDOR

Vous êtes en colère, et vous dites des pointes !
Ne présumiez-vous point que j'irais à mains jointes
Les yeux enflés de pleurs, et le cœur de soupirs,
Vous faire offre à genoux de mille repentirs ?
Que vous êtes à plaindre étant si fort déçue !

ANGÉLIQUE

Insolent, ôte-toi pour jamais de ma vue.

ALIDOR

Me défendre vos yeux après mon changement
Appelez-vous cela du nom de châtiment ?
Ce n'est que me bannir du lieu de mon supplice,
Et ce commandement est si plein de justice,
Qu'encore qu'Alidor ne soit plus sous vos lois,
Il va vous obéir pour la dernière fois.

1 – Objectif initial

Cet extrait pourra être retenu dans le cadre d'une étude thématique de la scène d'affrontement au théâtre.

2 – Observation du paratexte

Le titre et le sous-titre de la pièce *La Place royale ou l'Amoureux extravagant*, mettent l'accent sur une particularité des comédies de Corneille et sur l'originalité du héros. La désignation d'un lieu parisien, très en vogue à l'époque (la Place royale est l'actuelle place des Vosges), correspond au souci du dramaturge de situer sa comédie dans un cadre réaliste, contemporain et urbain (qui s'oppose au décor de campagne idyllique et imaginaire du théâtre et du roman pastoral). Quant à la qualification d'Alidor comme « amoureux extravagant », elle annonce la conduite paradoxale, voire perverse, du héros qui, par crainte de trop aimer, et d'aliéner sa liberté, va tenter de « donner » la jeune fille qu'il aime à son meilleur ami, Cléandre, ou, ici, de feindre l'inconstance.

3 – Identification du texte

Conformément à la dramaturgie classique, l'acte II correspond au nœud de l'intrigue. La fausse lettre (ingrédient traditionnel de la comédie) d'Alidor à Clarine constitue en effet la première pièce du stratagème qui va précipiter le conflit entre les deux amoureux, lesquels se livrent ici à un affrontement verbal et gestuel. Le lecteur-spectateur n'est pas dupe de l'artifice d'Alidor, puisqu'il en a été averti par les scènes d'exposition précédentes ; il peut donc s'intéresser à la réaction naïve d'Angélique tout en décryptant le double jeu du personnage masculin.

4 – Outils d'analyse

a) Structure

Composée d'alexandrins, à l'exception de la lettre qui est écrite en six octosyllabes et quatre alexandrins, cette scène répartit assez également la parole entre les deux personnages en scène. Leur confrontation prend appui sur deux objets, signalés par les didascalies, qui permettent de redoubler l'hostilité des paroles par celle des gestes. La dispute à propos de la lettre qu'Angélique, exaspérée, finira par déchirer, va être relayée par la discussion sur le miroir qu'Alidor propose à Angélique de briser tandis que celle-ci en défend l'usage à bon escient. Enfin, la jeune fille, à court d'arguments offensifs ou défensifs, et au comble de l'humiliation, somme son adversaire de partir pour ne plus jamais revenir, ce qu'Alidor ne fait pas sans une dernière pirouette.

Cette structure ménage une tension croissante jusqu'à la rupture et joue de la symétrie entre les deux objets riches d'une dimension symbolique. La lettre et le miroir prennent en charge la question sous-jacente de la vérité sur soi et sur l'autre, soumise ici à rude épreuve.

b) Énonciation

Pronoms personnels

L'opposition entre les deux interlocuteurs est marquée, notamment, par leurs façons respectives de s'adresser la parole. Ainsi, Angélique alterne l'emploi de la seconde et de la troisième personne : le « tu » désigne Alidor, quand elle apostrophe celui-ci de façon directe, le plus souvent sous forme d'injonctions positives ou négatives (« Change, si tu le veux », Insolent, ôte-toi pour jamais de ma vue », etc.) ou bien ce pronom permet d'invoquer le « Ciel » (« Ciel, tu ne punis point des hommes si méchants ! »). A d'autres reprises, Angélique marque sa prise de distance indignée à l'égard d'Alidor en évoquant celui-ci à la troisième personne, distance renforcée par l'usage d'un adjectif démonstratif introduisant une qualification péjorative : « Ce traître vit encor, il me voit, il respire… », « Après mille serments il me manque de foi / Et me demande encor si c'est là tant de quoi ! » Par cet emploi du « il », la jeune fille vitupère la conduite d'Alidor en semblant prendre à témoin un tiers interlocuteur qui peut être soit « le Ciel » de façon explicite, soit, implicitement, le public qui est toujours, bien entendu, le destinataire second et essentiel du discours théâtral. Ces différentes modalités de la prise de parole rangent Angélique du côté de l'expression immédiate et pathétique des passions.

Alidor, au contraire, apparaît ici comme un personnage maîtrisé, qui refuse le discours de l'affectivité, et prend le contre-pied de l'attitude attendue de la part d'un amoureux qui se repentirait de son inconstance. Certes, l'emploi du « vous » correspond à une marque conventionnelle de déférence envers une dame ; mais il s'associe ici à un maniement constant de l'ironie et du cynisme. Alidor sait également ménager une habile ambiguïté lorsqu'il recourt au pronom personnel indéfini « on » ou au relatif « qui » pour ironiser sur le geste de violence dépitée d'Angélique : « Qui ne vous flatte point puissamment vous irrite, / Pour dire franchement votre peu de mérite / Commet-on envers vous des forfaits si nouveaux / Qu'incontinent on doive être mis en morceaux ? » L'emploi de ces pronoms fait écho à l'aveu d'Angélique « Je voudrais en pouvoir faire autant de ton cœur » pour souligner l'équivalence symbolique établie entre l'objet « de papier » déchiré et le cœur de l'amant qui ne saurait subir le même sort que dans l'univers mythologique (si l'on songe aux figures d'Osiris, d'Orphée ou de Dionysos).

c) Cadre temporel

Modes et temps verbaux

La plupart des verbes sont conjugués au présent de l'indicatif ou de l'impératif, comme il convient dans la situation de confrontation dialoguée.

On relève cependant l'emploi, par Alidor, du conditionnel présent correspondant soit à une remarque ironique (« Il [= Le Ciel] devrait avec vous être d'intelligence »), soit à la description parodique des attentes supposées d'Angélique (« Ne présumiez-vous point que j'irais à mains jointes / les yeux enflés de pleurs, et le cœur de soupirs / Vous faire offre à genoux de mille repentirs ? »).

d) Champs lexicaux et figures de style

1) Champs lexicaux

■ *Le blâme moral*

Sur ce plan encore, le discours de chaque personnage se distingue nettement.

Le champ lexical dominant dans les propos d'Angélique est celui du blâme moral : « ta trahison », « L'impudence », « il me manque de foi », « un volage », « en m'abandonnant », « mépris d'Angélique », « tu ne punis point des hommes si méchants », « ce traître », « déloyal », « sans me les reprocher », « insolent ». L'inconstance supposée d'Alidor lui est reprochée comme un affront et un manquement outrageant à la parole donnée.

■ *La vérité et la légalité*

Les répliques d'Alidor recourent aux champs lexicaux de la vérité et de la légalité : « Deux mots de vérité », « Qui ne vous flatte point », « pour dire franchement » ; « le ciel a tort », « gouverner », « une haute vengeance », « commet-on envers vous des forfaits », « ce crime », « châtiment », me bannir », « ce commandement est si plein de justice » « vos lois », « vous obéir ». On retrouve ici sa tactique d'inversion de l'attitude attendue, puisqu'Alidor revendique une parole de vérité alors qu'il est l'auteur d'un artifice mensonger, et se réclame du droit alors qu'il est censé être coupable d'infidélité et de « trahison » amoureuse.

2) Figures de style

– MÉTAPHORES : conformément à la tradition précieuse, les sentiments amoureux sont évoqués à l'aide de métaphores belliqueuses : « ma liberté vous rend les armes », « me défendre de vos coups », « laisse en paix ». Ressortissent également au style précieux les pluriels de concrétisation de termes abstraits : « charmes », « appas », « attraits », « affections », « perfections ». Ce relevé montre à quel point la « lettre supposée d'Alidor à Clarine » est écrite en un style parodique du discours galant, ce qui suffirait à mettre en « évidence » (comme le dit Angélique qui, elle, s'y trompe) sa fausseté.

D'autres métaphores sont employées par Alidor, telles que l'expression « vous mettent bien aux champs » (qui signifie « mettre hors de soi ») ou le verbe « tempêter » à valeur de métaphore lexicalisée qui est ici remotivée par le motif du « foudre [du Ciel] à gouverner ».

– PERSONNIFICATIONS : de même qu'Alidor désigne la lettre par le pronom personnel « on » (« Qu'incontinent on doive être mis en morceaux »), Angélique personnifie son miroir en le présentant comme l'auteur d'un précieux et discret discours sur elle-même qu'elle oppose à la perfidie d'Alidor : « S'il me dit mes défauts autant ou plus que toi, / Déloyal, pour le moins il n'en dit rien qu'à moi, / C'est dedans son cristal que je les étudie, / Mais après il s'en tait, et moi j'y remédie, / Il m'en donne un avis sans me les reprocher, / Et me les découvrant, il m'aide à les cacher ». Objets de blâme, d'éloge et de destruction, la lettre et le miroir disent ici le pouvoir de l'écrit et de l'image dans la dialectique de la vérité et du mensonge sur soi et à l'égard d'autrui ; et ces deux objets introduisent l'enjeu de l'amour de soi à l'œuvre dans le sentiment et les conflits amoureux. Angélique fait glisser l'objet de la dispute depuis la trahison amoureuse vers l'injure infligée à ses charmes : elle tend ainsi à déplacer la question du sentiment trahi vers celle — peut-être moins noble — de l'orgueil et de la coquetterie blessés.

– ANTIPHRASES : cette figure participe de l'ironie d'Alidor lorsqu'il qualifie la lettre déchirée par Angélique de « digne et grand objet d'une haute vengeance ». La valeur antiphrastique de l'expression est d'autant mieux mise en valeur qu'elle est suivie d'un alexandrin qui rabaisse ce geste à une manifestation dérisoire et disproportionnée : « Vous traitez du papier avec trop de rigueur ». Par ailleurs, on peut entendre comme antiphrase à destination exclusive du public averti de la ruse, et non d'Angélique qui en est dupe, les déclarations d'Alidor telles que : « Deux mots de vérité » ou « Pour dire franchement votre peu de mérite ».

– DISCOURS À DOUBLE ENTENTE ET DÉNÉGATIONS : étrange déclaration que la lettre supposée d'Alidor à Clarine ! Sous couvert d'un « compliment « galant adressé à cette jeune fille [comme le croit à tort Angélique], il n'y est question que d'Angélique qui fait l'objet de dénégations amoureuses répétées : « Angélique n'a point de charmes / Pour me défendre de vos coups / Ce n'est qu'une idole mouvante, / Ses yeux sont sans vigueur, sa bouche sans appas, / Quand je la crus d'esprit je ne la connus pas, / [...] Vous devez mes affections / Autant à ses défauts, qu'à vos perfections ». Voilà un artifice cousu de fil blanc, comme en témoignent du reste certaines paroles à double entente d'Alidor : ses répliques « Est-ce là tant de quoi ? », « Deux mots de vérité vous mettent bien aux champs » et « Vous traitez du papier avec trop de rigueur » soulignent (pour le public, toujours) le caractère en vérité disproportionné de la colère d'Angélique. En outre, il n'est pas anodin que les mots « ma liberté » figurent en bonne place dans la fausse lettre, puisque tel est le bien qu'Alidor cherche à préserver contre l'engagement amoureux. C'est en ce sens de « libération » d'un joug et de fin d'une épreuve, donc, que l'on peut entendre les expressions ultimes : « Ce n'est que me bannir du lieu de mon supplice, / [...] / Qu'encore qu'Alidor ne soit plus sous vos lois, / Il va vous obéir pour la dernière fois ».

e) Syntaxe, ponctuation, rythme

1) Syntaxe et ponctuation

Le passage comporte un grand nombre de propositions interrogatives et exclamatives qui contribuent à la vivacité du dialogue et à sa forte fonction émotive.

Angélique se défend de l'affront que lui inflige Alidor en multipliant les injonctions à l'adresse de celui-ci : ordres (« Change », « laisse en paix », Oublie », « Fais que », « ôte-toi ») ou défenses (« N'établis point tes feux », « ne le grossis point du mépris »).

2) Rythme

Certaines apostrophes lancées par Angélique à Alidor sont mises en valeur par le rejet (« S'il me dit mes défauts autant ou plus que toi, / Déloyal, [...] ») ou leur position en tête d'alexandrin (« Insolent, ôte-toi pour jamais de ma vue »).

On s'intéressera aux coupes particulières de certains alexandrins, tels que les deux suivants, construits en chiasme rythmique tandis que leur liaison est soulignée par une allitération en R : « Ce traître vit encor, il me voit, il respire, (6/3/3) / Il m'affronte, il l'avoue, il rit quand je soupire » (3/3/6). Cette structure mime ici l'indignation du personnage.

Un autre effet de mise en valeur est produit par le partage d'un alexandrin en deux répliques réparties entre chaque interlocuteur :

ALIDOR. — Est-ce là tant de quoi ?
ANGÉLIQUE. — Tant de quoi ? L'impudence !

f) Tons et registres

1) Tons

A la gravité indignée d'Angélique répondent la désinvolture et la légèreté feintes d'Alidor : dissonance qui révèle, encore une fois, la rupture de la communication entre les deux amoureux ! Pour illustrer la première caractéristique, on s'appuiera sur la tonalité pathétique de la situation et du discours de la jeune fille trahie comme en témoignent, entre autres aspects, les expressions : « il me manque de foi », « je n'y perds qu'un volage », « en m'abandonnant », « oublie avec ta foi », « mépris d'Angélique », « je soupire », « s'il me dit mes défauts autant ou plus que toi ». Quant au cynisme d'Alidor, il se manifeste non seulement par la « franchise » supposée de ses critiques mais aussi à sa façon de commenter les réactions d'Angélique en semblant les rabaisser à des manifestations exagérées, voire risibles : « Est-ce là tant de quoi ? », « Deux mots de vérité vous mettent bien aux champs », « Vous traitez du papier avec trop de rigueur », « Vous êtes en colère, et vous dites des pointes ». De même, il use et abuse de l'ironie et de la parodie (cf. le motif du « foudre du ciel » et la description caricaturale de l'amoureux repenti). Ce sont là autant de moyens, bien sûr, conformément à la stratégie de cet « Amoureux extravagant », de « déplaire » à l'objet de sa passion redoutée.

2) Registres

Angélique adopte un registre qu'on pourrait qualifier de tragique (avec les termes de « trahison », « foi », l'invocation au « Ciel », « traître » « déloyal », « pour jamais ») si, à l'oreille du public, ce tragique n'était constamment réduit ou perverti par la situation d'artifice que l'on connaît autant que par la dérision provenant des répliques d'Alidor.

Ces répliques, pour leur part, produisent un effet comique en contrepoint du dépit cruel d'Angélique.

En dépit de cette dérision du registre tragique et en présence d'un ingrédient (la ruse de la fausse lettre) propre à la comédie, le lecteur-spectateur peut cependant juger pathétique la situation de cette jeune fille faussement trompée mais véritablement dupée, si l'on ose dire. Et estimer que, sous couvert de la feinte « extravagante », se révèle la violence des rapports amoureux qu'Angélique, prête, si elle pouvait, à « déchirer » le cœur de son amant, partage bien avec Alidor.

Clés de lecture

Deux axes principaux se dégagent de l'analyse méthodique de la scène :
I. L'opposition entre les deux personnages qui se manifeste sur les différents plans de leurs situations, attitudes, registres et tons respectifs
II. La révélation, par le biais déguisé d'une ruse comique, de la violence des sentiments amoureux, et du conflit entre amour, narcissisme et liberté

---

5 – Proposition de plan de lecture méthodique

• *Introduction*

Alidor, le héros de la comédie de Corneille La Place royale ou l'Amoureux extravagant, *craint que son amour pour Angélique n'entrave sa liberté. Il élabore donc de curieux stratagèmes pour déplaire à la jeune fille et rompre ainsi le lien qui les unit. A l'acte II, l'intrigue se noue autour des artifices de cet « amoureux extravagant » : l'un d'eux consiste à transmettre à Angélique, comme par inadvertance, une feinte lettre d'amour d'Alidor à une autre jeune fille.*

La scène 2, dont un large extrait nous est proposé, met en scène l'affrontement des deux amants. La dramaturgie comique dévoile, sous couvert du jeu et des faux-semblants amoureux, la violence des relations entre les deux personnages .

La lecture méthodique sera menée autour des axes suivants :

I. Une scène d'affrontement amoureux
1. Un artifice en guise d'épreuve
   – Indications du paratexte
   – Structure de la scène
   – Parodie et ironie
2. De la dispute à la rupture
   – Champs lexicaux, tons et registres en opposition
   – Figures de style : métaphores, antiphrases, dénégations
II. Amour de soi et destruction de l'autre
1. La symbolique des objets
   – Personnification de la lettre et du miroir
   – Leur fonction dramatique et leur valeur symbolique
2. Violence des discours et des gestes
   – Didascalies (Angélique déchire la lettre d'Alidor tandis que celui-ci propose de briser l'image d'Angélique dans le miroir)
   – Dérision du registre tragique
   – Une cruauté pathétique et partagée

• *Conclusion*

Le recours à la fausse lettre, qui suscite un malentendu entre deux personnages, est un artifice éprouvé dans la comédie baroque. Corneille en tire ici parti pour écrire des répliques souvent brillantes et nouer le conflit entre ses deux jeunes amoureux. A travers un jeu de la vérité et du mensonge, cette scène témoigne également de l'importance accordée par le dramaturge au rapport épineux entre l'amour de soi et l'amour d'autrui.

Marivaux

L'Ile des esclaves (1725)   **
Marivaux

Le théâtre représente une mer et des rochers d'un côté, et de l'autre quelques arbres et des maisons.

SCÈNE PREMIÈRE

IPHICRATE *s'avance tristement sur le théâtre avec Arlequin.*

IPHICRATE, *après avoir soupiré.* Arlequin !

ARLEQUIN, *avec une bouteille de vin qu'il a à sa ceinture.* Mon patron.

IPHICRATE. Que deviendrons-nous dans cette île ?

ARLEQUIN. Nous deviendrons maigres, étiques, et puis morts de faim : voilà mon sentiment et notre histoire.

IPHICRATE. Nous sommes seuls échappés du naufrage ; tous nos camarades ont péri, et j'envie maintenant leur sort.

ARLEQUIN. Hélas ! ils sont noyés dans la mer, et nous avons la même commodité.

IPHICRATE. Dis-moi : quand notre vaisseau s'est brisé contre le rocher, quelques-uns des nôtres ont eu le temps de se jeter dans la chaloupe ; il est vrai que les vagues l'ont enveloppée : je ne sais ce qu'elle est devenue ; mais peut-être auront-ils eu le bonheur d'aborder en quelque endroit de l'île, et je suis d'avis que nous les cherchions.

ARLEQUIN. Cherchons, il n'y a pas de mal à cela ; mais reposons-nous auparavant pour boire un petit coup d'eau-de-vie : j'ai sauvé ma bouteille, la voilà ; j'en boirai les deux tiers, comme de raison, et puis je vous donnerai le reste.

IPHICRATE. Eh ! ne perdons point de temps, suis-moi ; ne négligeons rien pour nous tirer d'ici. Si je ne me sauve, je suis perdu ; je ne reverrai jamais Athènes, car nous sommes dans l'île des Esclaves.

ARLEQUIN. Oh ! Oh ! qu'est-ce que c'est que cette race-là ?

IPHICRATE. Ce sont des esclaves de la Grèce révoltés contre leurs maîtres, et qui depuis cent ans sont venus s'établir dans une île, et je crois que c'est ici : tiens, voici sans doute quelques-unes de leurs cases ; et leur coutume, mon cher Arlequin, est de tuer tous les maîtres qu'ils rencontrent, ou de les jeter dans l'esclavage.

ARLEQUIN. Eh ! chaque pays a sa coutume ; ils tuent les maîtres, à la bonne heure ; je l'ai entendu dire aussi, mais on dit qu'ils ne font rien aux esclaves comme moi.

IPHICRATE. Cela est vrai.

ARLEQUIN. Eh ! encore vit-on.

IPHICRATE. Mais je suis en danger de perdre la liberté, et peut-être la vie : Arlequin, cela ne te suffit-il pas pour me plaindre ?

ARLEQUIN, *prenant sa bouteille pour boire.* Ah ! je vous plains de tout mon cœur, cela est juste.

IPHICRATE. Suis-moi donc.

ARLEQUIN *siffle.* Hu ! hu ! hu !

IPHICRATE. Comment donc ! que veux-tu dire ?

ARLEQUIN, *distrait, chante.* Tala ta lara.

IPHICRATE. Parle donc, as-tu perdu l'esprit ? à quoi penses-tu ?

ARLEQUIN, *riant*. Ah ! ah ! ah ! Monsieur Iphicrate, la drôle d'aventure ! je vous plains, par ma foi, mais je ne saurais m'empêcher d'en rire.

IPHICRATE, *à part les premiers mots*. Le coquin abuse de ma situation ; j'ai mal fait de lui dire où nous sommes. Arlequin, ta gaieté ne vient pas à propos ; marchons de ce côté.

ARLEQUIN. J'ai les jambes si engourdies !...

IPHICRATE. Avançons, je t'en prie.

ARLEQUIN. Je t'en prie, je t'en prie ; comme vous êtes civil et poli ; c'est l'air du pays qui fait cela.

IPHICRATE. Allons, hâtons-nous, faisons seulement une demi-lieue sur la côte pour chercher notre chaloupe, que nous trouverons peut-être avec une partie de nos gens ; et en ce cas-là, nous nous rembarquerons avec eux.

ARLEQUIN, *en badinant*. Badin ! comme vous tournez cela !

Il chante.

L'embarquement est divin
Quand on vogue, vogue, vogue,
L'embarquement est divin,
Quand on vogue avec Catin.

IPHICRATE, *retenant sa colère*. Mais je ne te comprends point mon cher Arlequin.

ARLEQUIN. Mon cher patron, vos compliments me charment ; vous avez coutume de m'en faire à coups de gourdin qui ne valent pas ceux-là ; et le gourdin est dans la chaloupe.

IPHICRATE. Eh ! ne sais-tu pas que je t'aime ?

ARLEQUIN. Oui ; mais les marques de votre amitié tombent toujours sur mes épaules, et cela est mal placé. Ainsi, tenez, pour ce qui est de nos gens, que le ciel les bénisse ! s'ils sont morts, en voilà pour longtemps ; s'ils sont en vie, cela se passera, et je m'en goberge.

IPHICRATE, *un peu ému*. Mais j'ai besoin d'eux, moi.

ARLEQUIN, *indifféremment*. Oh ! cela se peut bien, chacun a ses affaires : que je ne vous dérange pas !

IPHICRATE. Esclave insolent !

ARLEQUIN, *riant*. Ah ! ah ! vous parlez la langue d'Athènes ; mauvais jargon que je n'entends plus.

IPHICRATE. Méconnais-tu ton maître, et n'es-tu plus mon esclave ?

ARLEQUIN, *se reculant d'un air sérieux*. Je l'ai été, je le confesse à ta honte ; mais va, je te le pardonne : les hommes ne valent rien. Dans le pays d'Athènes, j'étais ton esclave, tu me traitais comme un pauvre animal, et tu disais que cela était juste, parce que tu étais le plus fort. Eh bien ! Iphicrate, tu vas trouver ici plus fort que toi ; on va te faire esclave à ton tour ; on te dira aussi que cela est juste, et nous verrons ce que tu penseras de cette justice-là ; tu m'en diras ton sentiment, je t'attends là. Quand tu auras souffert, tu seras plus raisonnable ; tu sauras mieux ce qu'il est permis de faire souffrir aux autres. Tout en irait mieux dans le monde, si ceux qui te ressemblent recevaient la même leçon que toi. Adieu, mon ami ; je vais retrouver mes camarades et tes maîtres. (*Il s'éloigne*)

IPHICRATE, *au désespoir, courant après lui l'épée à la main*. Juste ciel ! peut-on être plus malheureux et plus outragé que je le suis ? Misérable ! tu ne mérites pas de vivre.

ARLEQUIN. Doucement ; tes forces sont bien diminuées, car je ne t'obéis plus, prends-y garde.

1 – Objectif initial

La lecture méthodique de cette scène peut être envisagée selon deux perspectives : soit dans le cadre d'un groupement de textes problématique portant sur la fonction de la scène d'exposition au théâtre, soit dans le cadre de l'étude de l'œuvre intégrale. La lecture pourra alors privilégier la représentation théâtrale de l'utopie.

2 – Observation du paratexte

Le titre de la pièce comporte deux termes principaux, « île » et « esclaves », riches de connotations.

« L'île » est essentiellement associée à la représentation d'un lieu exotique figurant un ailleurs lointain, ainsi qu'à l'image d'un huis-clos. En tant que telle, elle représente un espace théâtral par excellence, offrant une unité de lieu cohérente, ainsi qu'un espace expérimental, favorable à l'expérience utopique : en effet, son éloignement autorise par nature l'invention d'autres règles, d'autres lois que celles du monde connu des contemporains de l'œuvre.

Le terme « d'esclaves », connoté péjorativement, puisqu'il désigne une personne qui n'est pas de condition libre et subit la domination d'un maître, renvoie moins à un lieu qu'à une époque, l'Antiquité. Toutefois, dans le contexte historique de la pièce (1725), la question de l'esclavage reste d'actualité, puisqu'elle est abordée par Voltaire, Montesquieu, Diderot, Rousseau notamment. Ce terme suggère donc une interrogation d'ordre social, portant sur le sens des rapports de force et de domination entre les individus, question d'actualité au siècle des Lumières. En outre, l'ensemble du titre annonce un renversement des rôles sociaux traditionnels, car « L'île des esclaves » suggère que ce sont les esclaves qui détiennent le pouvoir : le lecteur est donc invité à pénétrer dans un espace utopique qui mêle enjeux philosophiques et réflexion sociale.

Les didascalies initiales soulignent l'unité de lieu, comme sa clôture, par l'emploi répété du mot « théâtre », et plantent un décor dépouillé quelque peu inquiétant malgré la présence d'habitations : « une mer et des rochers d'un côté, et de l'autre quelques arbres et des maisons ». En outre, deux personnages aux noms significatifs sont confrontés dans la scène d'ouverture.

3 – Outils d'analyse

a) Structure

La scène s'organise autour d'une montée progressive de la tension dramatique de l'échange entre les deux personnages. On peut ainsi distinguer trois étapes décisives selon un mouvement de crescendo :

La soumission acceptée du valet : au début de la scène, Arlequin répond aux interpellations de son maître et en subit les volontés : « Arlequin ! » / « Mon patron ». Le serviteur répond en écho aux injonctions du maître par la reprise des mêmes termes : « je suis d'avis que nous les cherchions » / « Cherchons, il n'y a pas de mal à cela ». Cette étape se prolonge jusqu'au moment où Iphicrate nomme le lieu où ils se trouvent, et la menace qui y est associée : « je ne reverrai jamais Athènes, car nous sommes dans l'île des esclaves ».

La désobéissance passive : fort des révélations d'Iphicrate, Arlequin engage une phase de résistance aux ordres de son maître : il se refuse à les accomplir en y substituant une attitude ironique : « Ah ! je vous plains de tout mon cœur, cela est juste » / « Hu ! hu ! hu ! » / « Tala ta lara ». Au cours de cette séquence, Arlequin prend conscience de son nouveau pouvoir : « on dit qu'ils ne font rien aux esclaves comme moi » / « vous parlez la langue d'Athènes, mauvais jargon que je n'entends plus ». Cette dernière réplique amorce la dernière articulation de la scène : la révolte d'Arlequin.

La rébellion : la longue tirade d'Arlequin, la plus longue de la scène, annonce l'enjeu de la pièce, à savoir le renversement des rôles et la quête d'un nouveau pouvoir pour le valet : « Je l'ai été, je le confesse à ta honte » / « je vais trouver mes camarades et tes maîtres ». En outre, Arlequin a le dernier mot de la scène : « tes forces sont bien diminuées, car je ne t'obéis plus, prends-y garde ». La liberté de parole constitue la première manifestation de ce nouveau pouvoir qui se cherche et naît par le langage.

b) *Énonciation*

1) La voix : qui parle ?

La scène d'exposition débute par un dialogue qui met en présence deux personnages désignés par leurs noms ainsi que par les pronoms personnels. Les deux premières répliques révèlent le rapport hiérarchique qui les unit : « Arlequin ! / Mon patron ». Marivaux met en scène un couple traditionnel maître-valet, aux rôles codifiés. En effet, le personnage d'Arlequin, issu de la comédie italienne, est une figure bouffonne associée au comique verbal et gestuel. Les didascalies nous rappellent les attributs propres à ce personnage de comédie : « avec une bouteille de vin qu'il a à sa ceinture », « siffle », « distrait, chante ». Quant à Iphicrate, nom à consonance grecque, qui signifie « celui qui tire son pouvoir de la force », il est lui aussi chargé des attributs propres au maître : « l'épée à la main », il poursuit Arlequin à la fin de la scène.

2) Pronoms personnels et adjectifs possessifs

Le jeu des pronoms, en constante évolution au cours de la scène, rend compte de la transformation du rapport de force entre les deux personnages.

Dans les premières répliques, l'échange est dominé par le « Tu » du maître à l'esclave et le « Vous » de l'esclave au maître, conformément à la hiérarchie sociale. En outre, le « Nous », employé par l'un comme par l'autre (« Que deviendrons-nous dans cette île ? » / « Nous deviendrons maigres, étiques, et puis morts de faim ») témoigne d'un destin commun unissant les personnages.

Pourtant, la progression de l'échange se caractérise par une opposition progressive des deux paroles : elle est marquée par l'affrontement de deux « je », qui coïncide avec la révélation d'Iphicrate à Arlequin (« nous sommes dans l'île des esclaves »). A la parole du maître, affolé parce qu'il risque la mort (« Mais je suis en danger de perdre la liberté, et peut-être la vie »), répond celle du serviteur, dont l'indépendance s'accroît (« Ah ! je vous plains de tout mon cœur, cela est juste »), et dont le seul risque est la conquête de la liberté.

Le maître tente sans succès de restaurer le « nous » (« Avançons », « hâtons-nous »), tandis que l'esclave passe insensiblement du « Vous » au « Tu », qui prend ici la valeur d'une véritable transgression de l'ordre social : « Vous parlez la langue d'Athènes ; mauvais jargon que je n'entends plus » / « je le confesse à ta honte ; mais va, je te le pardonne ». La rupture semble ainsi définitivement consommée entre les personnages et elle signifie un changement d'identité sociale : Iphicrate ne peut rester le maître qu'à la condition que la parole de l'autre le reconnaisse comme tel.

La dissociation qui s'opère peu à peu entre eux est confortée par l'emploi des adjectifs possessifs (« je vais trouver mes camarades et tes maîtres »), dans le discours final d'Arlequin.

c) Cadre spatio-temporel

1) Repères spatiaux

Ils sont donnés à la fois par les didascalies (« le théâtre représente une mer et des rochers d'un côté, et de l'autre quelques arbres et des maisons ») et les répliques initiales. Or, le lieu, « l'île des esclaves », est identifié par Iphicrate de façon paradoxale : alors que les personnages s'y trouvent par les hasards d'un naufrage (lieu commun de la littérature de l'époque), le maître est néanmoins capable d'identifier l'île, ce qui semble à la limite de l'invraisemblance ! On peut cependant supposer que cette identification prématurée d'un point de vue logique est néanmoins destinée à faciliter l'explicitation des vrais enjeux de l'espace théâtral. En effet, l'île, par sa clôture, apparaît comme le lieu utopique et expérimental par excellence. Aussi va-t-elle se définir, non pas tant par sa géographie réelle que par sa géographie symbolique, puisque le terme de « théâtre » lui est substitué à deux reprises : espace dangereux pour Iphicrate dont le pouvoir est menacé, elle devient pour Arlequin synonyme de libération. C'est pourquoi elle ne peut se définir et prendre sens qu'en référence à un autre lieu auquel elle s'oppose radicalement : Athènes, terre d'aliénation pour les serviteurs, lieu de domination pour les maîtres. Le discours des personnages souligne avec insistance l'antagonisme entre l'ici (l'île) et l'ailleurs (Athènes) : « je ne reverrai jamais Athènes, car nous sommes dans l'île des esclaves » / « Dans le pays d'Athènes j'étais ton esclave, tu me traitais comme un pauvre animal, et tu disais que cela était juste, parce que tu étais le plus fort. Eh bien ! Iphicrate, tu vas trouver ici plus fort que toi ; on va te faire esclave à ton tour... » Athènes prend donc aux yeux du maître l'allure d'un lieu protecteur garantissant son statut social, tandis que l'île autorise la révolte d'Arlequin, protégé par ses lois.

2) Repères temporels

■ **Temps verbaux**

L'ensemble de la scène mêle plusieurs modes et temps dont la distribution conforte l'opposition croissante entre les personnages.

Le discours d'Iphicrate est dominé par l'impératif, mode de l'ordre (« ne perdons point de temps », « suis-moi donc », « parle donc »...) ainsi que par le passé composé, le présent et le futur de l'indicatif, renvoyant aux événements passés proches (le naufrage), au présent de la scène et à l'avenir immédiat commun des deux naufragés. S'en dissocie le discours d'Arlequin qui oppose un passé révolu d'esclave, (passé composé « Je l'ai été », imparfait « j'étais ton esclave », « tu me traitais », « tu disais ») à un avenir d'homme libre et révolté, fondé sur la nécessaire réforme des maîtres : « quand tu auras souffert, tu seras plus raisonnable ; tu sauras mieux ce qu'il est permis de faire souffrir aux autres ». Le futur de l'indicatif qui domine la dernière longue tirade d'Arlequin préfigure donc l'épreuve morale prochaine à laquelle Iphicrate devra se soumettre afin d'être transformé.

■ **Indicateurs temporels**

Les indices temporels situent la scène dans un cadre anachronique : certains éléments font référence à l'Antiquité grecque (le nom du maître, l'histoire de l'île « ce sont des esclaves de la Grèce révoltés contre leurs maîtres, et qui depuis cent ans sont venus s'établir dans un île », le terme « d'esclave ») tandis que d'autres éléments s'enracinent dans une actualité contemporaine de l'écriture de la pièce (le personnage d'Arlequin, les relations entre maître et serviteur). Cette distorsion du cadre temporel tient sans doute à des choix délibérés de la part de l'auteur : si la référence à l'Antiquité apparaît comme un moyen conventionnel de déjouer la censure à l'époque, elle est aussi un moyen paradoxal de masquer la critique sociale pour s'y livrer plus librement. En installant l'île dans une sorte de « no man's land » temporel, Marivaux la transforme en pur lieu fictionnel et imaginaire. Elle devient avant tout l'envers d'Athènes, sans qu'il soit nécessaire de l'ancrer dans une temporalité réaliste pour que l'utopie s'avère efficace.

d) Champs lexicaux

■ Pouvoir et rapports de force

L'ensemble de la scène est dominé par un champ lexical du pouvoir et des rapports de force, véritable enjeu de cette scène d'exposition : « l'île des esclaves », « esclaves de la Grèce révoltés contre leurs maîtres », « tuer tous les maîtres qu'ils rencontrent », « les jeter dans l'esclavage », « ils tuent les maîtres », « ils ne font rien aux esclaves comme moi », « en danger de perdre la liberté », « à coups de gourdin », « esclave insolent », « la langue d'Athènes », « ton maître », « mon esclave », « un pauvre animal », « le plus fort », « mes camarades et tes maîtres », « je ne t'obéis plus ».

■ Humanité , raison et justice

En outre, la longue tirade d'Arlequin développe un champ lexical de l'humanité et de la raison, qui énonce l'un des thèmes centraux de la pièce : « Quand tu auras souffert tu seras plus raisonnable », « ce qu'il est permis de faire souffrir aux autres », « la même leçon que toi ». Ce champ lexical est corrélé à celui de la justice, omniprésent dans la tirade : « tu disais que cela était juste », « on te dira aussi que cela est juste », « ce que tu penseras de cette justice-là ».

e) Syntaxe et ponctuation

1) Syntaxe

L'enchaînement des répliques s'effectue dans l'ensemble de la scène à partir d'un jeu de reprise des termes qui permet au dialogue de progresser, procédé traditionnel dans le théâtre italien essentiellement fondé sur l'improvisation à partir d'un canevas dramatique initial : « je suis d'avis que nous les cherchions » / « Cherchons, il n'y a pas de mal à cela », « cela ne te suffit-il pas pour me plaindre ? » / « Ah ! je vous plains de tout mon cœur », « Avançons, je t'en prie » / « Je t'en prie, je t'en prie… »

2) Ponctuation

On peut noter l'emploi fréquent de tournures exclamatives et d'interjections, tout au long de la scène, qui scandent la montée de la tension dramatique de l'échange. A l'ironie d'Arlequin (par exemple « Oh ! cela se peut bien, chacun a ses affaires : que je ne vous dérange pas ! » / « Ah ! ah ! vous parlez la langue d'Athènes… »), répond l'anxiété croissante et la colère d'Ipihicrate (« Esclave insolent ! » / « Misérable ! tu ne mérites pas de vivre »).

f) Tons et registres

Le personnage d'Arlequin, en fidèle représentant de la comédie italienne, inscrit la scène dans le genre comique, tant par son langage familier que par sa gestuelle et ses attributs symboliques : les didascalies soulignent fortement cette tonalité comique (« prenant sa bouteille pour boire », « distrait, chante », « riant »…). En outre, Arlequin recourt fréquemment au registre familier, conformément à son appartenance sociale, comme en témoignent par exemple sa chanson, les interjections qu'il emploie (« L'embarquement est divin / Quand on vogue avec Catin », « Hu ! hu ! hu ! »).

> **Clés de lecture**
> La grille d'analyse conduit à proposer deux axes de lecture principaux :
> **I.** Les caractéristiques et enjeux d'une scène d'exposition
> **II.** La révolte d'Arlequin, prélude au renversement des rôles

4 – Proposition d'axes de lecture méthodique

• *Introduction*

L'Ile des esclaves, *pièce en un acte composée par Marivaux en 1725 pour les comédiens italiens, annonce dès son titre une réflexion d'ordre philosophique et social, associée à la représentation d'un lieu utopique traditionnel, l'île.*

La scène d'exposition — destinée à éclairer les questions où, quand, qui, quoi ? — met en présence, à travers un dialogue, un couple maître-valet récemment naufragé : l'affrontement verbal qui oppose progressivement les personnages les conduit à énoncer les enjeux dramatiques de la pièce.

La lecture méthodique développera les axes suivants :

    I. Exposition théâtrale et tension dramatique
    1. Un espace-temps utopique
        – Les repères spatio-temporels
        – Les valeurs symboliques de l'île
        – Le rôle des didascalies
    2. Les forces en présence
        – La présentation de personnages aux rôles codifiés
        – Des attentes antagonistes
        – Le comique contre la gravité anxieuse
    II. Un prélude au renversement des rôles
    1. Structure de la scène
        – Une progression en crescendo
        – De la soumission à la révolte
    2. Une libération par la parole
        – Le jeu des pronoms personnels
        – Les temps verbaux
    3. L'épreuve des maîtres
        – La réforme des maîtres
        – Une leçon d'humanité et de raison

• *Conclusion*

La scène d'exposition, très complète, permet à l'action de s'engager rapidement dans les scènes suivantes.

Reposant sur l'antagonisme croissant entre les personnages d'Arlequin et d'Iphicrate, cette scène bouleverse leurs relations en instaurant de nouveaux rapports de pouvoir, annonçant un changement de statut social prochain du maître et du serviteur. Ce renversement des rôles, en gestation dans la scène liminaire, prépare l'expérience éducative, sociale et morale, à laquelle est promis le maître : c'est à la découverte de son humanité, et donc de sa vérité, que l'invite la pièce.

Musset

Lorenzaccio (1834)   ***
Alfred de Musset

Dans la longue scène centrale du drame (III, 3), Lorenzo explique à Philippe Strozzi, le chef du parti républicain de Florence, les raisons de sa conduite de débauche et les motivations de son projet d'assassiner le Duc Alexandre de Médicis qui règne sur Florence.

LORENZO. Tu me demandes pourquoi je tue Alexandre ? Veux-tu donc que je m'empoisonne, ou que je saute dans l'Arno ? Veux-tu donc que je sois un spectre, et qu'en frappant sur ce squelette… (*Il frappe sa poitrine*) il n'en sorte aucun son ? Si je suis l'ombre de moi-même, veux-tu donc que je rompe le seul fil qui rattache aujourd'hui mon cœur à quelques fibres de mon cœur d'autrefois ? Songes-tu que ce meurtre, c'est tout ce qui me reste de ma vertu ? Songes-tu que je glisse depuis deux ans sur un rocher taillé à pic, et que ce meurtre est le seul brin d'herbe où j'aie pu cramponner mes ongles ? Crois-tu donc que je n'aie plus d'orgueil, parce que je n'ai plus de honte, et veux-tu que je laisse mourir en silence l'énigme de ma vie ? Oui, cela est certain, si je pouvais revenir à la vertu, si mon apprentissage du vice pouvait s'évanouir, j'épargnerais peut-être ce conducteur de bœufs — mais j'aime le vin, le jeu et les filles, comprends-tu cela ? Si tu honores en moi quelque chose, toi qui me parles, c'est mon meurtre que tu honores, peut-être justement parce que tu ne le ferais pas. Voilà assez longtemps, vois-tu, que les républicains me couvrent de boue et d'infamie ; voilà assez longtemps que les oreilles me tintent, et que l'exécration des hommes empoisonne le pain que je mâche. J'en ai assez de me voir conspué par des lâches sans nom, qui m'accablent d'injures pour se dispenser de m'assommer, comme ils le devraient. J'en ai assez d'entendre brailler en plein vent le bavardage humain ; il faut que le monde sache un peu qui je suis, et qui il est. Dieu merci, c'est peut-être demain que je tue Alexandre ; dans deux jours j'aurai fini.

1 – Objectif initial

La tirade de Lorenzo sera envisagée dans la perspective d'une étude de l'ensemble de la pièce qui pourra se fonder notamment sur l'appartenance de *Lorenzaccio* au drame romantique.

2 – Observation du paratexte

Le titre de la pièce annonce le double visage du héros : « Lorenzaccio » est le surnom péjoratif connotant la débauche et le vice du personnage, tandis que « Lorenzo » correspond à sa nature idéale, à sa soif de pureté. A l'acte III, scène 3, le héros tente de reconquérir sa face de lumière, occultée par le masque de corruption qu'il s'est forgé à des fins stratégiques. Mais cette face d'ombre menace de le perdre irrémédiablement à moins que l'assassinat d'Alexandre ne lui permette paradoxalement de retrouver son identité originelle.

3 – Identification du texte

Lorenzo se livre ici à une longue tirade d'auto-justification dont le destinataire est apparemment Philippe (présent en scène), mais ce discours s'apparente par sa composition et son ton lyrique à un monologue à la fois explicatif et existentiel, c'est-à-dire un moment capital d'interrogation du héros sur le sens de son destin.

4 – Outils d'analyse

a) Structure

L'ensemble de la tirade vise à justifier la nécessité du meurtre d'Alexandre, au moyen de différents procédés rhétoriques. On distingue tout d'abord une série d'interrogations (jusqu'à « comprends-tu cela ? »), qui prennent à partie le destinataire du discours, Philippe, sans pour autant appeler de réplique. Puis, Lorenzo légitime à nouveau son projet, qui s'impose comme le terme inéluctable de son cheminement et le moyen de faire éclater une vérité à la fois individuelle et collective : « il faut que le monde sache un peu qui je suis et qui il est ».

b) Énonciation

Pronoms personnels et adjectifs possessifs

La première personne est très fortement représentée, sous la forme du pronom personnel sujet « je » qui apparaît dans toutes les phrases, ou du pronom personnel complément « me », ou enfin des adjectifs possessifs « mon cœur », « ma vertu », « mes ongles », « mon meurtre », etc. Cette omniprésence des marques de la première personne caractérise l'exaltation lyrique de Lorenzo.

Le « tu » présent dans les phrases interrogatives revêt une pure fonction phatique. Mais, dans la phrase « Si tu honores en moi quelque chose, toi qui me parles, c'est mon meurtre que tu honores, peut-être justement parce que tu ne le ferais pas », Lorenzo se définit en s'opposant à son interlocuteur. Cette différenciation souligne d'autant plus la solitude du tyrannicide.

c) Cadre temporel

1) Les temps verbaux

Le discours de Lorenzo est énoncé principalement au présent de l'indicatif (ou du subjonctif) qui constitue le point de référence de l'argumentation. En effet, c'est par rapport à ce présent qu'est esquissé un bilan du passé récent : « Songes-tu que je glisse depuis deux ans sur un rocher taillé à pic, et que ce meurtre est le seul brin d'herbe où j'aie pu cramponner mes ongles » / « Voilà assez longtemps, vois-tu, que les républicains me couvrent de boue et d'infamie ».

Paradoxalement, le projet de meurtre, non encore accompli, est évoqué à deux reprises au présent de l'indicatif (« Tu me demandes pourquoi je tue Alexandre ? » / « Dieu merci, c'est peut-être demain que je tue Alexandre ») : cet emploi suggère l'urgence de l'acte, auquel Lorenzo s'identifie entièrement. De plus, le passage se clôt sur un futur antérieur qui nous projette dans un avenir proche en envisageant le meurtre comme accompli : « dans deux jours j'aurai fini ».

L'imparfait, dans la subordonnée hypothétique « si je pouvais revenir à la vertu… » a une valeur d'irréel du présent qui met en valeur l'irréversibilité du cheminement du héros et l'impossibilité de retrouver sa pureté perdue sans accomplir le meurtre du Duc.

2) Indicateurs temporels

On relèvera plusieurs adverbes et locutions qui évoquent un processus de maturation et une opposition entre hier et aujourd'hui : « le seul fil qui rattache aujourd'hui mon cœur à quelques fibres de mon cœur d'autrefois », « je glisse depuis deux ans », « voilà assez longtemps », « j'en ai assez ».

d) Champs lexicaux et figures de style

1) Champs lexicaux

Deux champs lexicaux principaux composent le texte :

■ La mort

« je tue Alexandre », « que je m'empoisonne ou que je saute dans l'Arno », « un spectre », « ce squelette », « l'ombre de moi-même », « ce meurtre », « laisse mourir en silence l'énigme de ma vie », « empoisonne le pain que je mâche », « m'assommer ».

Il semble que le meurtre d'Alexandre soit pour Lorenzo la seule échappatoire au suicide qui serait l'aboutissement inévitable de sa déchéance morale. En tuant le Duc, il tuera la part maudite de lui-même, son double maléfique (« spectre », « ombre »).

■ Le registre moral

Le registre moral correspond aux notions de vertu et d'honneur : « ma vertu », « orgueil », « honte », « la vertu », « mon apprentissage du vice », « tu honores », « me couvre de boue et d'infamie », « l'exécration des hommes », « me voir conspué par des lâches sans nom », « m'accablent d'injures », « comme ils le devraient ».

La dualité de ces deux registres renvoie à la tension entre les postulations tragiques et romantiques du héros : en effet, le premier champ lexical qui aborde le thème du suicide, participe d'une conception romantique du sujet en proie au « mal du siècle », tandis que la question de l'honneur est au cœur de la tragédie classique.

2) Figures de style

– MÉTAPHORES : les expressions « spectre », « squelette », « ombre », « le seul fil qui rattache aujourd'hui mon cœur à mon cœur d'autrefois » évoquent l'identité ambiguë du personnage, habité par la nostalgie d'une pureté disparue.

Le thème de la souillure est repris par la métaphore : « l'exécration des hommes empoisonne le pain que je mâche ».

Les termes de « le seul fil », « quelques fibres », « le seul brin d'herbe » peuvent s'interpréter comme la métaphore *in absentia* de l'expression courante « sa vie ne tient qu'à un fil ». Cette figure met en évidence la fragilité du salut qu'offre le meurtre.

– ANTITHÈSES : « Songes-tu que ce meurtre, c'est tout ce qui me reste de ma vertu » / « Crois-tu donc que je n'ai plus d'orgueil parce que je n'ai plus de honte » / « c'est mon meurtre que tu honores ».
Ces figures renforcent le paradoxe de la rédemption par le crime.

– LA CONSTRUCTION EN CHIASME : « veux-tu donc que je rompe le seul fil qui rattache aujourd'hui mon cœur à quelques fibres de mon cœur d'autrefois ? » marque l'opposition entre le « moi » passé et le « moi » présent.

– LES ANAPHORES : « Veux-tu donc », « Songes-tu », « Voilà assez longtemps », « J'en ai assez ». Ces répétitions rythment l'ensemble de la tirade et créent un effet de martèlement du discours. Elles participent également de la fonction phatique qui domine le texte.

– PÉRIPHRASES : « ce conducteur de bœufs » désigne le Duc Alexandre comme un être bestial et vulgaire, tout en stigmatisant l'absence d'esprit critique et de rébellion de ses sujets. Si les « républicains » sont d'abord clairement nommés, comme détracteurs de Lorenzo, ils sont ensuite désignés par la périphrase péjorative « des lâches sans nom, qui m'accablent d'injures pour se dispenser de m'assommer ». On retrouve les connotations péjoratives dans l'expression « entendre brailler en plein vent le bavardage humain », que l'on peut également interpréter comme une critique du discours politique creux et inefficace ou de façon plus générale comme une suspicion globale à l'encontre de la vanité des paroles, en manque d'actions : « il faut que le monde sache un peu qui je suis, et qui il est ». Cette revendication de la primauté de l'action est encore à inscrire au compte du romantisme de Lorenzo.

e) Syntaxe, ponctuation, rythme et sonorités

1) Syntaxe et ponctuation

Les constructions interrogatives se succèdent dans la première partie de la tirade, pour ensuite laisser la place à des affirmations catégoriques. Ces emplois syntaxiques participent d'une rhétorique de la persuasion qui vise autant le destinateur que le destinataire dans la mesure où ces phrases n'appellent pas de réponse.

2) Rythme et sonorités

La tirade de Lorenzo comporte des vers blancs, tels qu'un alexandrin initial : « Tu me demandes pourquoi je tue Alexandre », suivi de plusieurs octosyllabes (« Veux-tu donc que je m'empoisonne / ou que je saute dans l'Arno ? »).

Sonorités : on peut repérer un jeu d'homophonies, allitérations et assonances (« fil » / « fibre », « meurtre » / « me reste », « brailler » / « bavardages », « assez » / « conspué » / « se dispenser de m'assommer »). Ces jeux de sonorités produisent parfois des effets de sens résultant du rapprochement phonique de mots distincts (par exemple « meurtre » / « me reste »), tout en contribuant à l'éloquence de Lorenzo.

f) Registres et tons

1) Registres

Cette tirade présente un mélange des registres : des termes ou expressions courants ou familiers (« le seul brin d'herbe où j'aie pu cramponner mes ongles », « entendre brailler en plein vent le bavardage humain », etc.) voisinent avec un registre plus noble (« spectre », « conspué », « que je laisse mourir en silence l'énigme de ma vie »…). Cette association est caractéristique des innovations verbales apportées par le drame romantique, qui récuse l'emploi exclusif du registre noble, et s'oppose aux règles du théâtre classique.

2) Tons

L'omniprésence de la première personne, et l'exaltation désespérée de Lorenzo donnent à cette tirade une forte tonalité lyrique. En effet, le héros semble acculé à son geste meurtrier, seule façon d'accomplir son destin. En ce sens, l'assassinat du tyran sert une fin paradoxalement plus individuelle qu'historique et politique. En outre, Lorenzo n'est en proie à aucun dilemme quant au passage à l'acte et ne rencontre pas de transcendance. Il évolue en cela dans un monde dépourvu de tragique. Cette situation révèle la solitude désespérée du héros dont le geste risque de constituer un acte dérisoire et inutile, sur le plan humain du moins ; c'est ce que confirmeront la suite et la fin de la pièce.

Clés de lecture

Deux axes principaux se dégagent de l'analyse méthodique de la tirade :

I. Le discours de Lorenzo s'apparente à un monologue destiné à se persuader de la nécessité absolue du meurtre d'Alexandre

II. Ce projet revêt une fonction plus existentielle que politique puisque, par le tyrannicide, Lorenzo aspire à retrouver sa pureté perdue

5 – Proposition de plan de lecture méthodique

• *Introduction*

L'acte III de Lorenzaccio *constitue la péripétie majeure de la pièce. Pour la première fois, Lorenzo y révèle son intention de tuer le Duc Alexandre de Médicis. Au cours de la scène 3, la plus longue de la pièce, le héros expose au chef des républicains, Philippe Strozzi, le chemin et les raisons de sa conduite dépravée autant que de son projet d'assassinat politique. La dernière longue tirade de Lorenzo prend la forme d'un plaidoyer qui expose la véritable finalité du meurtre.*

La lecture méthodique s'organisera autour des axes suivants :

I. Une auto-justification exaltée
1. Un monologue déguisé
   – Énonciation
   – Syntaxe
2. Une rhétorique de la persuasion
   – Structure
   – Antithèses et anaphores
   – Rythme et sonorités
II. Du meurtre comme acte révélateur et purificateur
1. La dualité de Lorenzo
   – Étude des temps verbaux
   – Métaphores et périphrases
2. La solitude du héros romantique
   – Étude des champs lexicaux : la mort, l'honneur, la vertu
   – Registres et tons : un lyrisme désespéré

• *Conclusion*

Par sa dimension purement individualiste, le projet meurtrier de Lorenzo est dépourvu de toute transcendance religieuse ou politique : le héros ne témoigne en effet d'aucune foi dans le pouvoir de révolte du Peuple ni dans celui des Républicains.

Le personnage de Musset s'inscrit ainsi en faux contre certaines espérances romantiques. Le tyrannicide risque en ce sens d'être privé d'efficacité politique et s'apparente davantage à un acte nihiliste.

Exercice d'entraînement

Le Misanthrope ou L'Atrabilaire amoureux (1666)   **★★**
(Acte I, scène 1, extrait)
Molière

Au début du premier acte, Alceste reproche à son ami Philinte d'avoir témoigné une extrême courtoisie à un homme qu'il connaissait à peine… Philinte se défend avec ironie, avant d'inciter Alceste à exposer ses principes.

PHILINTE
Mais, sérieusement, que voulez-vous qu'on fasse ?

ALCESTE
Je veux qu'on soit sincère, et qu'en homme d'honneur
On ne lâche aucun mot qui ne parte du cœur.

PHILINTE
Lorsqu'un homme vous vient embrasser avec joie,
Il faut bien le payer de la même monnoie,
Répondre comme on peut à ses empressements,
Et rendre offre pour offre et serments pour serments.

ALCESTE

Non, je ne puis souffrir cette lâche méthode
Qu'affectent la plupart de vos gens à la mode ;
Et je ne hais rien tant que les contorsions
De tous ces grands faiseurs de protestations,
Ces affables donneurs d'embrassades frivoles,
Ces obligeants diseurs d'inutiles paroles,
Qui de civilités avec tous font combat,
Et traitent du même air l'honnête homme et le fat.
Quel avantage a-t-on qu'un homme vous caresse,
Vous jure amitié, foi, zèle, estime, tendresse,
Et vous fasse de vous un éloge éclatant,
Lorsqu'au premier faquin il court en faire autant ?
Non, non, il n'est point d'âme un peu bien située
Qui veuille d'une estime ainsi prostituée,
Et la plus glorieuse a des régals peu chers
Dès qu'on voit qu'on nous mêle avec tout l'univers.
Sur quelque préférence une estime se fonde,
Et c'est n'estimer rien qu'estimer tout le monde.
Puisque vous y donnez, dans ces vices du temps,
Morbleu ! vous n'êtes pas pour être de mes gens ;
Je refuse d'un cœur la vaste complaisance
Qui ne fait de mérite aucune différence ;
Je veux qu'on me distingue, et, pour le trancher net,
L'ami du genre humain n'est point du tout mon fait.

PHILINTE

Mais quand on est du monde, il faut bien que l'on rende
Quelques dehors civils que l'usage demande.

ALCESTE

Non, vous dis-je ; on devrait châtier sans pitié
Ce commerce honteux de semblants d'amitié.
Je veux que l'on soit homme, et qu'en toute rencontre
Le fond de notre cœur dans nos discours se montre ;
Que ce soit lui qui parle, et que nos sentiments
Ne se masquent jamais sous de vains compliments.

Objectif initial de la lecture méthodique

La lecture méthodique de cet extrait visera à dégager les caractéristiques et fonctions de la scène d'exposition au théâtre.

Questions

❶ A partir de l'étude des champs lexicaux, des modalités et des tons du discours, caractérisez les systèmes de valeurs opposés des deux personnages.

❷ Dégagez la progression logique de la tirade d'Alceste et étudiez la dimension à la fois satirique et idéaliste du discours de ce personnage.

❸ Montrez que la déclaration suivante : « Je refuse d'un cœur la vaste complaisance / Qui ne fait de mérite aucune différence / Je veux qu'on me distingue [...] » peut faire l'objet de diverses interprétations.

❹ Quel intérêt offre ce dialogue dans le cadre d'une scène d'exposition ?

IV–Poésie

Sponde

Essai de quelques poèmes chrétiens (1588) (sonnet IX)   ★★★
Jean de Sponde

1 Qui sont, qui sont ceux-là, dont le cœur idolâtre
   Se jette aux pieds du monde, et flatte ses honneurs,
   Et qui sont ces valets, et qui sont ces seigneurs ?
   Et ces âmes d'ébène, et ces faces d'albâtre ?

5 Ces masques déguisés, dont la troupe folâtre
   S'amuse à caresser je ne sais quels donneurs[1]
   De fumées de Cour, et ces entrepreneurs
   De vaincre encor le Ciel qu'ils ne peuvent combattre ?

9 Qui sont ces louayeurs[2] qui s'éloignent du port,
   Hommagers[3] à la vie, et félons[4] à la mort
   Dont l'étoile est leur bien, le vent, leur fantaisie ?

12 Je vogue en même mer, et craindrai de périr,
   Si ce n'est que je sais que cette même vie
   N'est rien que le fanal qui me guide au mourir.

1 – Objectif initial

Ce sonnet pourra être analysé dans le cadre d'une étude d'ensemble de la poésie baroque.

---

1. Désigne les Grands qui accordent des avantages (titres, pensions).
2. Marins qui louvoient le long des côtes.
3. Ceux qui, dans le système féodal, jurent obéissance et fidélité à leur suzerain.
4. Antonyme d'hommager : ceux qui trahissent leur suzerain.

2 – Observation du paratexte

L'Essai de quelques poèmes chrétiens, publié en 1588, est l'une des œuvres majeures de Sponde, inspirée par la lecture des Psaumes de la Bible. Sponde choisit une forme poétique codifiée pour mieux donner corps à sa pensée religieuse.

3 – Identification du texte

Sponde adopte la forme du sonnet régulier, en alexandrins, c'est-à-dire un poème composé de deux quatrains à rimes embrassées (ABBA, ABBA) et de deux tercets dont les rimes sont disposées selon l'un des deux modèles en vigueur à l'époque (CCD-EDE). La disposition CCD-EED est particulièrement pratiquée dans les poèmes de Marot et de Ronsard.

4 – Outils d'analyse

a) Structure

Le poème s'organise selon deux grands mouvements : d'une part les trois premières strophes réitèrent une interrogation énoncée à la troisième personne du pluriel, sans y apporter de réponse ; d'autre part le dernier tercet introduit le « je » du poète qui s'oppose à « ceux-là », sur lesquels il s'interrogeait.

A cette première organisation s'ajoute une progression thématique entre les trois premières strophes : la première est dominée par la dénonciation du monde des courtisans, la seconde emprunte ses images au registre de la comédie, la troisième introduit la métaphore du voyage maritime qui sera reprise dans le dernier tercet.

Enfin, on peut discerner un autre type d'organisation structurelle constitué par des antithèses internes, reprises d'une strophe à l'autre sur l'ensemble du sonnet, entre le monde des illusions et des apparences et la voie du divin qui permet d'accéder à la vérité.

b) Énonciation

1) La voix : qui parle ?

Les interrogations anaphoriques à la troisième personne sont assumées par le poète même si le « je » n'intervient alors que sous la forme discrète de l'expression « je ne sais quels donneurs ».

Le pronom démonstratif « cela » et les adjectifs démonstratifs « ces » produisent un effet de mise à distance critique et ont une valeur péjorative héritée de l'étymologie latine *iste* qui servait à désigner l'accusé dans un procès, en le disqualifiant.

Contrairement aux épigrammes satiriques qui dénonçaient implicitement des personnes socialement identifiables, le référent de ces pronoms et adjectifs démonstratifs semble être ici le genre humain dans son ensemble, ou du moins ceux qui se laissent aveugler par le règne du paraître.

Le dernier tercet donne au « je » une position dominante, non seulement parce que le pronom est placé à l'initiale du vers, mais surtout, parce qu'il s'affirme comme le détenteur d'une connaissance transcendante sur la finalité de la vie humaine qui n'est que la préparation à la mort.

2) Indices d'énonciation

On relève, sur l'ensemble du sonnet, de nombreux termes à caractère péjoratif. Les adjectifs « idolâtre » et « folâtre » sont formés avec le suffixe -âtre chargé de nuances péjoratives, ce qui par contamination de la rime dévalorise également l'expression « faces d'albâtre ». D'autres expressions participent de cette mise à distance critique : « se jette aux pieds du monde et flatte ses honneurs », « Ces masques déguisés », « s'amuse à caresser », « fumées de Cour », « félons », « fantaisie » (alors synonyme de chimère, extravagance).

c) Cadre spatio-temporel

1) Repères spatiaux

Les localisations revêtent un caractère métaphorique : dans le premier quatrain, le « monde » est personnifié et désigne les Grands, détenteurs du pouvoir et entourés d'une foule de courtisans.

Le deuxième quatrain reprend le thème du monde, mais présenté cette fois à travers une métaphore baroque qui associe le monde à une scène de théâtre en même temps qu'à la cour. Sponde rejoint des dramaturges baroques tels que Shakespeare, Calderon, Corneille. Les tercets introduisent la métaphore filée du voyage maritime à l'image du trajet existentiel.

2) Repères temporels

A l'exception d'une partie du vers 12, l'ensemble du sonnet est au présent de vérité générale. Le futur dans l'hémistiche « et craindrai de périr » marque le refus d'une mort subie et imprévisible (selon le sens du verbe périr), qui s'oppose à une mort attendue avec sérénité, en vertu du paradoxe énoncé dans la pointe, selon lequel la vie n'est que l'étape conduisant à la mort : « N'est rien que le fanal qui me guide au mourir ».

d) Champs lexicaux et figures de style

1) Champs lexicaux

Les différents champs lexicaux appartiennent à la tradition baroque.

■ La flatterie et la servilité

« Le cœur idolâtre / Se jette aux pieds du monde et flatte ses honneurs », « ces valets », « la troupe folâtre / s'amuse à caresser je ne sais quels donneurs ». Le poète dénonce l'attitude de servilité de ceux qui rendent hommage à des puissances terrestres.

■ Le théâtre et l'illusion

« Ces faces d'albâtre », « Ces masques déguisés dont la troupe folâtre », « je ne sais quels donneurs / De fumées de Cour ». Sponde raille les hommes voués aux apparences trompeuses, aux déguisements mensongers. Ces hommes se détournent de la vérité divine et sont prisonniers de leurs passions qui les assimilent à des fous, comme en témoignent l'adjectif « folâtre » et le nom « fantaisie ».

■ La foi

« Le cœur idolâtre », « ces âmes d'ébène », « De vaincre encor le Ciel qu'ils ne peuvent combattre », « Hommagers à la vie, et félons à la mort », « je sais », « qui me guide au mourir ». La cible des attaques du poète est ici l'inversion des valeurs chrétiennes. Le terme « idolâtre » fait référence à un épisode biblique relatant l'adoration du Veau d'or par les Hébreux, qui se détournèrent de Dieu tandis que Moïse recevait les tables de la loi sur le Mont Sinaï. Il en va de même pour le vers 8 qui fait allusion au péché d'orgueil, notamment incarné par la construction de la Tour de Babel que Dieu châtia par la multiplicité des langues. La synecdoque « faces d'ébène » peut se lire comme une allusion au satanisme. Le vers 10 emprunte ses images au vocabulaire féodal et fait référence à « l'hommage » que le vassal doit au suzerain, fondé sur un gage de fidélité. Le poète révèle ainsi l'erreur de ces hommes qui font allégeance aux valeurs de la comédie sociale et à ses mirages fugitifs en trahissant la vraie valeur qu'est la mort. Cette reconnaissance est explicitement formulée aux vers 13 et 14.

■ La navigation

« Qui sont ces louayeurs qui s'éloignent du port », « Dont l'étoile est leur bien, le vent, leur fantaisie ? », « Je vogue en même mer », « N'est rien que le fanal qui me guide au mourir ». Le poète compare les hommes qui s'égarent et s'écartent des valeurs chrétiennes, à des marins qui, au lieu de louvoyer le long des côtes comme ils le devraient, s'éloignent au large. Le vers 11 prolonge cette métaphore maritime en suggérant que les guides spirituels — l'étoile polaire est éminemment symbolique figurant un repère absolu — sont détournés de leur finalité ascensionnelle au profit d'une quête terrestre et matérielle — l'expression « leur bien » désigne les possessions de ceux qui idolâtrent le monde. Tandis que le vent oriente les marins, ces hommes vivent au gré de leur « fantaisie » et de leurs caprices. Le second tercet file la métaphore maritime : si le poète évolue dans le même espace que les égarés, il sait reconnaître la lumière de la vérité, se tourner vers le spirituel. Le terme « fanal » indique un mouvement d'élévation et une quête de la lumière, puisqu'il désigne le feu placé au sommet d'une tour, destiné à guider les navigateurs la nuit. Contrairement aux « âmes d'ébène » vouées à l'aveuglement, le poète se tourne vers le royaume céleste. Ainsi, l'image du « port » figure-t-elle le salut de l'âme auquel le croyant aspire.

2) Figures de style

– LES ANAPHORES : deux réseaux anaphoriques structurent le poème, la formule interrogative « qui sont » (5 occurrences), et la conjonction de coordination « et » (8 occurrences). La question « qui sont » est à chaque fois répétée à une position stratégique, en début de vers ou en début d'hémistiche ; dans la mesure où cette question comporte en elle-même sa propre réponse, elle s'apparente à une interrogation rhétorique, destinée à permettre une série de caractérisations. Quant à l'anaphore de la conjonction de coordination, elle produit un effet d'accumulation qui contribue au mouvement du poème et lui confère l'allure d'un réquisitoire.

– LES MÉTAPHORES : se reporter à l'étude des champs lexicaux qui sont entièrement métaphoriques.

– LES SYNECDOQUES : « le cœur idolâtre », « ces âmes d'ébène, et ces faces d'albâtre », « ces masques déguisés ». Ces figures qui désignent le tout par le détail offrent une caractérisation plus riche, un effet de peinture sociale et morale diversifiée. Ici le poète esquisse l'agitation et l'effervescence de la comédie humaine comme si le théâtre envahissait le monde, thème baroque par excellence.

– LES ANTITHÈSES : « valets / seigneurs, âmes / faces, ébène / albâtre, vaincre / combattre, louayeurs / s'éloignent du port, Hommagers à la vie / félons à la mort, vie / mourir ». L'omniprésence des antithèses révèle une vision duelle du monde où les apparences s'opposent radicalement à la vérité. Pourtant, ces apparences s'offrent sous un aspect séducteur et enchanteur — à l'instar d'une puissance diabolique — qui les rend d'autant plus dangereuses. Dans le Sonnet XII du même recueil, cette thématique sera particulièrement développée :

> Tout s'enfle contre moi, tout m'assaut tout me tente
> Et le monde, et la chair, et l'Ange révolté ;
> Dont l'onde, dont l'effort, dont le charme inventé,
> Et m'abîme, Seigneur, et m'ébranle, et m'enchante.

Cette tentation du monde suscite chez le poète une forte méfiance et l'invite à conjurer cette postulation en dépassant ou niant le monde humain, comme en témoigne ici la mise à distance exprimée par l'anaphore des démonstratifs, « ceux-là » et « ces ».

e) Syntaxe, rythme, rimes et sonorités

1) Syntaxe et rythme

La présence de plusieurs propositions subordonnées relatives introduites par « dont » crée un allongement syntaxique et par conséquent des enjambements : le deuxième quatrain, dans lequel les enjambements s'enchaînent, en témoigne tout particulièrement.

La fréquence de ces enjambements perturbe la régularité du mètre.

Le jeu entre régularité et irrégularité se retrouve dans l'analyse des coupes. A titre d'exemple, on étudiera le premier quatrain et le dernier tercet.

Qui sont, / qui sont ceux-là, / / dont le cœur / idolâtre
    2   4   3   3

Se jette / aux pieds du monde, / / et flatte / ses honneurs,
   2   4   2   4

Et qui sont / ces valets, / / et qui sont / ces seigneurs ?
    3   3   3   3

Et ces âmes / d'ébène, / / et ces faces / d'albâtre ?
   3   3   3   3

Les variations de coupe induisent des modulations rythmiques à l'intérieur de la strophe. Ainsi, les vers 3 et 4 qui sont des tétramètres (quatre mesures de trois syllabes) se distinguent des vers 1 et 2 : le vers 1 présente des mesures irrégulières tandis que le vers 2 comporte des mesures symétriques de part et d'autre de la césure. Ces variations de coupe induisent des modulations rythmiques à l'intérieur de la strophe. Il en va de même pour les deux strophes suivantes, tandis que le dernier tercet comporte trois tétramètres. Cette volontaire régularité s'accorde avec les déclarations de foi et de sérénité du poète.

2) Rimes et sonorités

Les mots placés à la rime autorisent une lecture verticale où l'on retrouve les thèmes majeurs développés par le sonnet.

– Rimes en -âtre et en -eur : ces deux rimes coïncident avec les qualificatifs négatifs attribués aux hommes.

– Rime en -ort : elle crée une équivalence entre les mots « port » et « mort », suggérant que l'un est la métaphore de l'autre, dans le sens où le port représenterait la médiation vers l'au-delà.

– Rime en -ie : elle associe les termes « fantaisie » et « vie » correspondant à l'une des dénonciations énoncées dans le poème.

– Rime en -ir : cette rime attire l'attention sur les nuances entre les deux synonymes « périr » et « mourir ». En effet, le premier verbe implique une mort violente ou accidentelle, alors que le verbe substantivé « au mourir » connote une issue attendue et acceptée, qui n'est qu'un passage vers l'autre monde.

On observe une grande cohérence sonore dans l'ensemble du sonnet. L'allitération récurrente en « s » redouble le jeu des anaphores de « qui sont ces ». Les allitérations en « b » et les assonances en « a » renforcent l'harmonie du vers 4. Enfin les assonances dans le dernier tercet en « é/è » concourent également à un effet d'unité.

f) Tons

L'ensemble du sonnet se caractérise par une rhétorique démonstrative à visée critique voire satirique. Cependant, le dernier tercet échappe à cette dimension, car il semble davantage témoigner d'un parcours personnel du poète, sans pour autant emprunter un ton lyrique ou élégiaque. C'est pourquoi on ne saurait définir une tonalité dominante.

Clés de lecture

La grille d'analyse amène à dégager deux axes principaux de lecture du sonnet :

I. Une esthétique et une thématique baroques

II. Une vision duelle qui oppose deux postulations : le monde et ses illusions, le divin comme voie de la vérité

Remarque : deux plans de lecture méthodique seront proposés, l'un présentera une synthèse des centres d'intérêt, l'autre suivra le mouvement du sonnet. L'introduction et la conclusion seront communes aux deux plans.

---

5 – Proposition de lecture méthodique

• Introduction

La poésie de Sponde se caractérise par son esthétique baroque et sa perspective religieuse. Celle-ci fut pour lui l'objet de dilemmes métaphysiques qui l'ont confronté à des choix antagonistes : d'une part, entre les tentations du monde et les exigences de la foi chrétienne, d'autre part, entre le protestantisme qui fut sa religion initiale, et le catholicisme auquel il se convertit tardivement.

L'Essai de quelques poèmes chrétiens, antérieur à sa conversion, est inspiré d'une lecture des Psaumes de la Bible. Le sonnet IX développe un questionnement spirituel, approfondi dans l'ensemble du recueil, et invite le poète à définir sa place par rapport à ses semblables et à affirmer la finalité de son existence.

La lecture méthodique se construira donc à partir des axes suivants :

Plan I (synthétique)

I. Une esthétique baroque

1. Vision d'un monde voué à l'instabilité
   - Structure et interrogations rhétoriques
   - Indices d'énonciation
   - Métaphores spatiales
2. Le théâtre du monde
   - Champ lexical du théâtre et de l'illusion
   - Jeu des synecdoques

II. Une tension entre la séduction illusoire du monde et la foi

1. Un réquisitoire contre les idolâtres du monde
   - Anaphores, antithèses et métaphores
   - Champ lexical de la flatterie et de la servilité
   - Étude des tons
2. Le cheminement du poète
   - Rythme et sonorités / effets de cohésion
   - Champs lexicaux : la foi, la navigation
   - Rimes signifiantes : lecture verticale du sonnet

Plan II

I. Les deux quatrains : réquisitoire contre les séductions mondaines

1. Le monde comme vanité (1er quatrain)
2. Le monde comme illusion (2e quatrain)

II. Les deux tercets : deux directions antagonistes

1. Les navigateurs dévoyés (1er tercet)
2. Le poète : hommager à la mort (2e tercet)

• **Conclusion**

L'écriture paradoxale de Sponde aboutit à une vision pessimiste du monde qu'il partage avec d'Aubigné, tandis que Montaigne affirme au contraire sa foi en la nature humaine.

Cependant, cette conscience douloureuse des insuffisances de l'homme est atténuée chez les poètes calvinistes par la certitude du salut. Ainsi le sonnet IX développe-t-il le retournement abrupt et déroutant pour le lecteur moderne : vivre c'est mourir.

Baudelaire

Le Spleen de Paris, petits poèmes en prose   ******
(1869, publication posthume)
Charles Baudelaire

LES FENÊTRES

Celui qui regarde du dehors à travers une fenêtre ouverte, ne voit jamais autant de choses que celui qui regarde une fenêtre fermée. Il n'est pas d'objet plus profond, plus mystérieux, plus fécond, plus ténébreux, plus éblouissant qu'une fenêtre éclairée d'une chandelle. Ce qu'on peut voir au soleil est toujours moins intéressant que ce qui se passe derrière une vitre. Dans ce trou noir ou lumineux vit la vie, rêve la vie, souffre la vie.

Par-delà des vagues de toits, j'aperçois une femme mûre, ridée déjà, pauvre, toujours penchée sur quelque chose, et qui ne sort jamais. Avec son visage, avec son vêtement, avec son geste, avec presque rien, j'ai refait l'histoire de cette femme, ou plutôt sa légende, et quelquefois je me la raconte à moi-même en pleurant.

Si c'eût été un pauvre vieux homme, j'aurais refait la sienne tout aussi aisément.

Et je me couche, fier d'avoir vécu et souffert dans d'autres que moi-même.

Peut-être me direz-vous : « Es-tu sûr que cette légende soit la vraie ? » Qu'importe ce que peut être la réalité placée hors de moi, si elle m'a aidé à vivre, à sentir que je suis et ce que je suis ?

---

1 – Objectif initial

Deux perspectives peuvent être proposées pour mener la lecture méthodique de ce poème : soit le cadre générique du poème en prose, soit l'étude comparée du motif de la fenêtre, dans des œuvres aussi bien littéraires que picturales ou cinématographiques.

2 – Observation du paratexte

Publié à titre posthume en 1869, le recueil, inachevé, des *Petits poèmes en prose* regroupe cinquante textes qui avaient auparavant paru dans diverses revues littéraires. Les éditeurs modernes ont restitué le titre du *Spleen de Paris* qui aurait probablement été préféré par Baudelaire. Le poète entendait expérimenter ce genre nouveau du poème en prose (initié par Aloysius Bertrand — *Gaspard de la nuit*, 1842) pour évoquer le monde moderne et urbain, en ses aspects insolites, fantastiques et merveilleux perceptibles dans le quotidien. Dans la lettre à Arsène Houssaye servant de Préface au recueil, Baudelaire écrit : « Quel est celui de nous qui n'a pas, dans ses jours d'ambition, rêvé le miracle d'une prose poétique, musicale, sans rythme et sans rime, assez souple et assez heurtée pour s'adapter aux mouvements lyriques de l'âme, aux ondulations de la rêverie, aux soubresauts de la conscience ? »

3 – Identification du texte

En raison de sa très grande liberté formelle, le poème en prose n'offre pas de caractéristiques figées. Dans le recueil de Baudelaire cependant, la plupart des poèmes, de longueur variable, se divisent en paragraphes et comportent un titre. Le poème repose donc sur un effet de clôture sémantique et de correspondances internes. Ici, le motif de la « fenêtre » fournit le point de départ d'une réflexion sur le destin de citadins anonymes transformé en légende par l'imagination créatrice.

4 – Outils d'analyse

a) Structure

Constitué de cinq paragraphes de longueur inégale, ce poème se compose de trois mouvements distincts. Le premier paragraphe offre une description et réflexion générales sur le motif de la fenêtre, formulées à la troisième personne. Le second mouvement (allant du deuxième au quatrième paragraphe), décelable par l'intervention du « je » raconte une anecdote, centrée sur un personnage particulier quoiqu'anonyme, qui vient illustrer les affirmations initiales. Enfin, le dernier paragraphe présente une objection, formulée au style direct, suivie de la réponse qu'y apporte le poète.

b) Énonciation

1) La voix et le point de vue : qui parle et qui voit ?

Le poème présente une variété des modes d'énonciation. Le premier paragraphe se caractérise par des énonciations impersonnelles et généralisantes : on passe de l'emploi du pronom démonstratif (« Celui qui ») à la forme impersonnelle (« Il n'est pas d'objet »), puis au pronom personnel indéfini « on » (« Ce qu'on peut voir »), et enfin, à la troisième personne par le jeu de la personnification du nom « vie » en position de sujet inversé.

Le deuxième paragraphe au contraire introduit une particularisation par l'emploi de la première personne et de la présentation d'un personnage précis : « une femme mûre, ridée déjà », « cette femme ». Les deux paragraphes suivants poursuivent le même procédé, tandis que le dernier paragraphe insère un dialogue au discours direct entre le poète et son lecteur virtuel. On remarquera le glissement du vouvoiement (« me direz-vous ») au tutoiement (« es-tu sûr ») qui instaure une complicité amicale entre les deux interlocuteurs.

Ce changement de personne s'accompagne d'un glissement de la focalisation zéro (paragraphe I) vers la focalisation interne (paragraphes II et suivants).

2) Indices d'énonciation

La répartition des modalisateurs reprend l'opposition entre le premier paragraphe et les suivants. En effet, dans le paragraphe I, les adverbes « ne…jamais » et « toujours » ainsi que le superlatif « Il n'est pas d'objet plus profond, plus mystérieux… » donnent à l'énoncé un ton catégorique. En revanche, le correctif « ou plutôt » dans le second paragraphe et l'adverbe « peut-être » dans le dernier apportent des nuances, et caractérisent le discours subjectif à la première personne.

c) Cadre spatio-temporel

1) Repères spatiaux

Le titre pose un motif dont la portée symbolique est développée tout au long du poème. La « fenêtre » représente en effet une frontière entre deux mondes, l'extérieur et l'intérieur, l'espace public et l'espace privé. Lieu du regard, elle favorise également la réceptivité au monde réel, que la rêverie créatrice métamorphose en espace intérieur. Tel est le sens de l'apparent paradoxe initial : « Celui qui regarde du dehors à travers une fenêtre ouverte, ne voit jamais autant de choses que celui qui regarde une fenêtre fermée ». La fermeture peut s'interpréter comme une invitation à l'introspection et à la transfiguration de la réalité par l'imagination. C'est ainsi que le poète se plaît à inventer la vie d'une femme inconnue : « Avec son visage, avec son vêtement, avec son geste, avec presque rien, j'ai refait l'histoire de cette femme, ou plutôt sa légende… »

La préposition « Par-delà des vagues de toits » ainsi que la phrase « Qu'importe ce que peut être la réalité placée hors de moi, si elle m'a aidé à vivre, à sentir que je suis et ce que je suis ? » marque la prise de distance du poète par rapport au monde réel dont la représentation objective est supplantée par la recréation intérieure.

2) Repères temporels

■ **Modes et temps verbaux**

Le premier paragraphe est dominé par le présent de vérité générale, auquel succède, dans le second paragraphe l'emploi du présent de narration, qui actualise le discours du poète. Le présent des verbes « je me la raconte à moi-même » et « je me couche » prend cependant une valeur itérative. Les verbes au passé composé « j'ai refait », « elle m'a aidé à vivre » et à l'infinitif passé « avoir vécu et souffert » ont un aspect accompli et participent d'une analyse rétrospective de l'expérience. L'irréel du passé « Si c'eût été un pauvre vieux homme, j'aurais refait la sienne tout aussi aisément » permet d'envisager un autre possible non réalisé.

■ **Adverbes**

Les adverbes « toujours », « jamais » dans le deuxième paragraphe indiquent la nature itérative du regard porté sur la vieille femme, à l'instar de la rêverie (« quelquefois je me la raconte à moi-même en pleurant »).

d) Champs lexicaux et figures de style

1) Champs lexicaux

■ **La vue**

Le champ lexical de la vue, amorcé dès le titre, est largement représenté dans les deux premiers paragraphes : « celui qui regarde », « fenêtre ouverte », « voit », « fenêtre fermée », « éblouissant », « fenêtre éclairée d'une chandelle », « ce qu'on peut voir », « derrière une vitre », « j'aperçois ». Si le motif de la fenêtre peut s'interpréter, dans son ensemble, comme une métaphore du regard, le poème va dans le sens de la fermeture, du repli vers l'intérieur, plutôt que de l'ouverture vers l'extérieur, et de l'obscurcissement plutôt que de la lumière (quoique cette obscurité devienne, paradoxalement, source de lumière : « plus ténébreux, plus éblouissant », « dans ce trou noir ou lumineux »). Il s'agit de privilégier le regard intérieur, la conscience et la connaissance de soi, selon un mouvement d'introspection qui, pour Baudelaire, est une condition nécessaire à la création artistique, bien plus que ne l'est l'observation du réel.

■ *L'existence humaine et les sentiments*

Le second champ lexical dominant renvoie à la notion de l'existence humaine et des sentiments : « vit la vie, rêve la vie, souffre la vie », « une femme mûre, ridée déjà, pauvre », « l'histoire de cette femme », « en pleurant », « un pauvre vieux homme », « fier d'avoir vécu et souffert dans d'autres que moi-même », « si elle m'a aidé à vivre, à sentir que je suis et ce que je suis ? ». La rêverie subjective sur la réalité extérieure s'accompagne d'un sentiment de compassion du poète à l'égard d'autrui résultant d'un processus d'identification. C'est là une constante chez Baudelaire, qui écrit dans le poème en prose « Les Foules » : « Le poète jouit de cet incomparable privilège, qu'il peut à sa guise être lui-même et autrui ».

■ *Le récit fictif ou véridique*

Enfin, on repère le champ lexical du récit fictif ou véridique : « j'ai refait l'histoire de cette femme, ou plutôt sa légende, et quelquefois je me la raconte à moi-même en pleurant », « j'aurais refait la sienne tout aussi aisément », « es-tu sûr que cette légende soit la vraie ? ». Ce champ lexical révèle le centre d'intérêt du poème qui élude le contenu du récit au profit du processus d'invention.

2) Figures de style

– PERSONNIFICATIONS : la triade « vit la vie, rêve la vie, souffre la vie » évoque différentes facettes de la condition humaine, à travers une personnification de la notion de vie. La présence de l'article défini permet de généraliser cette évocation et d'en souligner l'universalité. En outre, les deux verbes « rêve » et « souffre » renvoient à la tension entre Spleen et Idéal, qui structure le recueil poétique des *Fleurs du mal*.

– OXYMORES : « plus ténébreux, plus éblouissant », « Dans ce trou noir ou lumineux » (cette dernière occurrence peut s'interpréter comme un oxymore, selon la valeur que l'on donne au « ou »). Paradoxalement, les contraires n'entretiennent pas de relation d'opposition, mais de réversibilité. L'obscurité apporte une nouvelle lumière, de même que le regard tourné vers l'intériorité favorise une identification à autrui.

Hormis la métaphore lexicalisée « des vagues de toits », ce texte ne comporte aucune image. Cette écriture épurée s'accorde avec le souci de peindre la quotidienneté.

e) Syntaxe, ponctuation, rythme et sonorités

1) Syntaxe, rythme et ponctuation

On peut relever trois constructions comparatives correspondant aux trois premières phrases du poème. Ces comparaisons ont valeur de jugement dans des énoncés à valeur de vérité générale. Elles posent d'emblée le paradoxe qui sous-tend le texte. On peut en outre noter que les termes « fenêtre » et « vitre » sont placés en fin de période. La triple inversion du sujet « la vie » se justifie par des raisons euphoniques et rythmiques.

L'ordre des mots dans la succession des compléments circonstanciels de moyen (« Avec son visage, avec son vêtement, avec son geste, avec presque rien »), est significatif. Il souligne la valorisation progressive des signes anodins, et la subtile réceptivité de l'observateur.

La présence alternée de groupes binaires (« ce trou noir ou lumineux », « d'avoir vécu et souffert ») et ternaires (« vit la vie, rêve la vie, souffre la vie », « si elle m'a aidé à vivre, à sentir que je suis et ce que je suis ») participe à la cohérence rythmique du poème. En outre la cadence mineure, dans la deuxième phrase, contribue à la mise en valeur de l'adjectif « éblouissant » et rappelle le rôle essentiel du regard dans le poème.

Les deux interrogations finales invitent le lecteur à participer à la recherche créative du poète qui pourtant écarte fermement l'objection supposée. Le poète feint de se donner un contradicteur, pour mieux affirmer sa conception de la création artistique.

2) Sonorités

On relève un chiasme sonore avec les assonances croisées des adjectifs « profond » / « mystérieux » / « fécond » / « ténébreux », tandis que le dernier adjectif « éblouissant » offre des homophonies avec l'adjectif « intéressant », dans la phrase suivante. On peut de plus relever de multiples jeux d'allitérations en « r » notamment, disséminés dans le premier paragraphe, qui caractérisent la recherche de musicalité propre au poème en prose.

f) Ton et registres

1) Ton

La présence du pronom de la première personne, à partir du deuxième paragraphe, marque la tonalité lyrique du texte. Elle transparaît tout particulièrement dans l'évocation de la souffrance universelle, que le poète partage avec ces êtres anonymes et simples, que sont « une femme mûre, ridée déjà, pauvre » et « un pauvre vieux homme ». L'humilité de ces figures, leur solitude (« et qui ne sort jamais »), et peut-être la proximité de la mort qui s'en dégage, rappelée non seulement par leur grand âge, mais aussi par l'image d'une « fenêtre éclairée d'une chandelle », semblent émouvoir le poète, qui éprouve à leur égard un sentiment de compassion, mais reconnaît son destin propre dans leur souffrance : « et je me couche, fier d'avoir vécu et souffert dans d'autres que moi-même ».

Cette sympathie, au sens propre du terme, que le poète éprouve, se matérialise par les pleurs (« et je me la raconte à moi-même en pleurant »), symbole d'identification à ceux qui souffrent et de communion spirituelle. Aussi est-ce grâce à cette proximité qui unit les êtres que le poète accède à la connaissance de soi, comme en témoigne son interrogation finale : « à sentir que je suis et ce que je suis ». On peut en outre remarquer que le verbe de perception « sentir » souligne la tonalité émotionnelle et lyrique du poème.

2) Registres

Au regard que Baudelaire pose sur ces êtres humbles répond une écriture dépouillée qui emprunte à la langue courante ses images essentielles. On peut néanmoins mentionner l'expression « un pauvre vieux homme » comme seule occurrence du registre soutenu, et qui constitue une tournure quelque peu archaïsante.

Clés de lecture

La grille de lecture conduit à dégager deux aspects essentiels du poème :

I. Le motif des « fenêtres », frontière entre l'extérieur et l'intérieur, coïncide avec le mouvement du regard glissant progressivement de l'extérieur vers l'intérieur

II. La « fenêtre » s'impose également comme une médiation vers l'imaginaire du poète qui recrée et transfigure la réalité qui s'offre à lui

5 – Proposition d'axes de lecture méthodique

• *Introduction*

Traditionnel en peinture, ainsi qu'en témoignent des œuvres célèbres comme celles de Rembrandt ou de Magritte, le motif des « Fenêtres » est plus singulier en littérature.

Dans « Les fenêtres » extrait des Petits poèmes en prose, *Baudelaire fait de ces dernières un mode d'accès privilégié au monde de l'intérieur, tant dans son sens matériel que dans son sens métaphorique. A la faveur du regard qu'il pose sur les lieux et les êtres qui échappent à notre perception immédiate, le poète s'interroge sur la nature du processus créateur qui métamorphose la réalité et nous guide vers notre vérité la plus intime.*

La lecture méthodique s'organisera donc autour des axes suivants :

I. L'ambiguïté de la fenêtre : frontière entre deux mondes
1. Le mouvement paradoxal du regard
   – Structure du poème, énonciation et focalisations : tension entre l'extérieur et l'intérieur
   – Champ lexical du regard et perception sensible
   – Syntaxe comparative
2. Le dévoilement d'un monde quotidien : de « l'histoire » à la « légende »
   – Champs lexicaux de l'existence humaine et du récit
   – Tonalité lyrique et univers proche des « Tableaux parisiens »

II. Création et transfiguration de la réalité
1. Une recomposition imaginaire
   – Étude des repères spatio-temporels
   – Opposition des paragraphes I-II à V
   – Syntaxe : ordre des mots qui marque le glissement vers l'imaginaire
2. Imagination créatrice et connaissance de soi
   – Généralisation et universalité des émotions suscitées par la condition humaine : personnifications et figures de style
   – Interrogations finales et rôle du lecteur virtuel : la compréhension des autres comme de soi-même
   – L'art comme justification existentielle : la facture du poème (rythmes et sonorités) comme modèle d'œuvre accomplie

• *Conclusion*

Ainsi, le poème esquisse une analogie entre les « fenêtres » et le mouvement de la création artistique : le regard, comme l'acte créateur, traverse une fenêtre fermée pour s'ouvrir sur un monde intérieur qui nous mène à une double connaissance de nous-mêmes et des autres.

Par cette démarche, le poète semble suggérer qu'il ne saurait accéder à l'existence, au sens fort, en dehors de l'acte créateur. La souffrance d'autrui se révèle donc comme un germe qui vient féconder son intériorité, l'inviter à partager une souffrance humaine dans son universalité.

Apollinaire

Alcools (1913)   ★★★
Guillaume Apollinaire

MAI

1 Le mai le joli mai en barque sur le Rhin
Des dames regardaient du haut de la montagne
Vous êtes si jolies mais la barque s'éloigne
Qui donc a fait pleurer les saules riverains

5 Or des vergers fleuris se figeaient en arrière
Les pétales tombés des cerisiers de mai
Sont les ongles de celle que j'ai tant aimée
Les pétales flétris sont comme ses paupières

9 Sur le chemin du bord du fleuve lentement
Un ours un singe un chien menés par des tziganes
Suivaient une roulotte traînée par un âne
Tandis que s'éloignait dans les vignes rhénanes
Sur un fifre lointain un air de régiment

14 Le mai le joli mai a paré les ruines
De lierre de vigne vierge et de rosiers
Le vent du Rhin secoue sur le bord les osiers
Et les roseaux jaseurs et les fleurs nues des vignes

1 – Objectif initial

On pourra aborder l'étude de ce poème dans la perspective d'un groupement de textes, autour du thème des « Amours nostalgiques ».

2 – Observation du paratexte

Ce poème extrait du recueil *Alcools* appartient à la section intitulée *Rhénanes*. Ce titre aux connotations germaniques évoque les paysages rhénans (le fleuve et la vigne), mais aussi des mythes et légendes de la Rhénanie chers à Apollinaire (auxquels font référence les poèmes *Nuit rhénane*, *La Loreley*, *Rhénane d'automne*).

3 – Mise en œuvre des outils d'analyse

a) Structure

Le poème se compose de quatre strophes d'alexandrins : 2 quatrains, 1 quintil, 1 quatrain. Le quintil introduit une irrégularité dans une structure apparemment traditionnelle.

Chacune des strophes constitue une unité thématique : la promenade en barque, le souvenir de la femme aimée, le cortège des tziganes, le paysage printanier.

Cependant, à ce découpage strophique s'associe une continuité sémantique, rendue sensible par la reprise de termes et de thèmes, d'une strophe à l'autre : le titre est repris en écho dans chaque quatrain ; le voyage sur le Rhin est évoqué dans les strophes 1, 3 et 4 ; différents éléments du paysage rhénan sont esquissés tout au long du poème (« le Rhin », « la montagne », « les saules riverains », les « vergers fleuris », les « cerisiers de mai », « les vignes rhénanes », la « vigne vierge » et les « rosiers », « les osiers », « les roseaux jaseurs et les fleurs nues des vignes »).

L'étude de l'énonciation révélera une autre organisation possible.

b) Énonciation

Le mode d'énonciation conduit à opposer les deux premières strophes aux deux dernières : en effet, la première strophe introduit le discours direct par le pronom personnel « vous » et la forme interrogative au vers 4 ; le pronom « je » apparaît au vers 7 et introduit une dimension lyrique. Or, dans les strophes 3 et 4 de caractère descriptif cette présence du poète devient implicite : elle se dissimule dans le jeu des connotations.

Ainsi, se dessine un effet de miroir entre ces deux mouvements du poème, comme si le paysage reflétait l'état d'âme de l'amoureux déçu et solitaire.

Cet isolement du « je » transparaît dans l'énonciation : le discours direct amorcé dans la première strophe reste sans écho puisque les interlocutrices sont inaccessibles (vers 2, 3 et 7). Le vers « Vous êtes si jolies mais la barque s'éloigne » anticipe sur la séparation amoureuse rappelée dans le vers 7 : « Sont les ongles de celle que j'ai tant aimée ».

c) Cadre spatio-temporel

1) Repères spatiaux

Des indices spatiaux dessinent la configuration d'un paysage à la fois vertical et horizontal : « du haut de la montagne », « les saules riverains », « les pétales tombés des cerisiers », « De lierre de vigne vierge et de rosiers », « les osiers / Et les roseaux jaseurs » / « en barque sur le Rhin », « sur le chemin du bord du fleuve », « suivaient », « vignes rhénanes », « Sur un fifre lointain un air de régiment », « sur le bord ».

Ces deux orientations sont associées à un double symbolisme : la verticalité suggérerait un idéal inaccessible, incarné par les « si jolies Dames », tandis que l'horizontalité correspondrait au cheminement du poète errant, qui semble s'identifier aux tziganes.

Le poème est construit sur l'alternance de trois temps de l'indicatif :
– Strophe 1 : Imparfait / Présent / Passé Composé.
– Strophe 2 : Imparfait / Passé Composé / Présent.
– Strophe 3 : Imparfait.
– Strophe 4 : Passé Composé / Présent.

La distribution des temps verbaux met en évidence l'unité des deux premières strophes et la spécificité du quintil dont la position marginale semble confirmée. La disparition de l'imparfait dans le dernier quatrain confère également à celui-ci une particularité qui retiendra notre attention.

2) Repères temporels

– L'IMPARFAIT prend ici une valeur à la fois descriptive et durative (vers 2, 5, 11, 12).

– LE PASSÉ COMPOSÉ marque l'aspect accompli du procès par rapport au présent de l'énonciation (vers 4, 7, 14).

– LE PRÉSENT renvoie soit au temps du discours direct (vers 3), soit au temps de la comparaison (valeur atemporelle dans les vers 7 et 8), soit enfin au temps de la description (vers 16). En outre, il prend en charge l'expression du sentiment contemporain du temps de l'écriture dans l'ensemble du poème.

L'imbrication des temps verbaux marque la perception de l'écoulement du temps et la perte irrémédiable du passé que souligne également le sémantisme des verbes et des participes : « 's'éloigne », « s'éloignait », « se figeaient en arrière », « tombés », « flétris ».

D'autres aspects de la temporalité seront abordés lors de l'étude des champs lexicaux et des métaphores.

d) Champs lexicaux et figures de style

1) Champs lexicaux

■ **Nature et temps**

Annoncé par le titre du poème « MAI », le champ lexical du cycle saisonnier est développé par les termes de « le joli mai », « des vergers fleuris », « pétales tombés », « pétales flétris », « vignes rhénanes ». Les deux participes passés « tombés » et « flétris » inversent le symbolisme traditionnel du mois de mai qui connote généralement le renouveau de la nature et prend ici une tonalité automnale. Ce renversement s'explique par le contexte de la comparaison avec l'amour perdu.

Ces métamorphoses de la nature au gré des saisons rendent sensible l'écoulement du temps. En revanche, la mention du « lierre » et de la « vigne vierge », plantes vivaces, symbolisent la permanence dans le dernier quatrain qui apporte ainsi un espoir de renouveau et une note d'optimisme.

Les vers « Le mai le joli mai a paré les ruines / De lierre de vigne vierge et de rosiers » mettent en évidence l'ambiguïté sémantique des ruines. A la fois symbole de destruction et de permanence, les ruines sont ici le support d'une nature prolifique, comme si elles figuraient le fondement d'une renaissance du monde et du sujet.

■ **L'amour impossible ou perdu**

Hormis le verbe « que j'ai tant aimée », aucun terme ne se rattache explicitement au champ lexical de l'amour. C'est par le biais de connotations et de figures de style que ce signifié affleure dans le poème. Ainsi le premier quatrain esquisse le motif d'une rencontre manquée et d'un chagrin sentimental (vers 3 et 4) tandis que la strophe suivante évoque le souvenir de la femme aimée et perdue. La rime « mai » / « aimée » remotive le topos du mois de mai comme saison des amours, que l'on trouve par exemple dans la poésie de Ronsard.

■ **La beauté**

Les termes relatifs à la beauté de la nature et de la femme sont récurrents : « le joli mai », « Des dames […] si jolies », « des vergers fleuris », « les pétales », « le joli mai a paré », « les fleurs nues des vignes ». Le parallélisme tissé entre la nature et la féminité suggère le motif de la femme-fleur qui allie grâce et fragilité et se charge de connotations érotiques. De plus, l'image des « Dames […] du haut de la montagne » rappelle à la fois l'amour courtois et la légende germanique de *La Loreley*.

■ **Le voyage**

Deux déplacements sont figurés : celui de la « barque sur le Rhin » qui « s'éloigne » et celui du lent cortège des tziganes. L'ensemble du quintil est consacré au spectacle des gens du voyage, présents dans plusieurs poèmes d'Apollinaire (*Saltimbanques, La Tzigane*). Ces deux voyages, dont le but est indéterminé, prennent la forme d'une errance autant spatiale qu'intérieure (thème particulièrement développé dans *Zone*).

2) Figures de style

– FIGURES MÉTAPHORIQUES : le mois de mai fait l'objet d'une personnification aux vers 1 et 14, ainsi que les « roseaux jaseurs » au vers 17.

Une métaphore associe les « pétales tombés » aux « ongles » de la femme aimée, puis elle est filée par une comparaison entre les « pétales flétris » et « les paupières » (cf. infra le motif de la femme-fleur).

– MÉTONYMIE : la deuxième strophe présente une image fragmentée et partielle du corps de la femme. Cette évocation s'apparente à deux traditions : d'une part, le blason du corps féminin, cher aux poètes du XVIe siècle, qui n'est ici qu'ébauché ; d'autre part, la pratique picturale des cubistes, fondée sur la vision éclatée.

On peut interpréter de façon polysémique les motifs des « ongles » et des « paupières » :

• Les « ongles » connotent la sensualité peut-être teintée d'agressivité.

• Les « paupières » connotées négativement par la comparaison avec les « pétales flétris » sont un rappel intertextuel des *Colchiques* dont un vers développe la métaphore du regard amoureux et funeste : « Et ma vie pour tes yeux lentement s'empoisonne ».

• Les participes employés comme adjectifs « tombés » et « flétris » connotent la perte et la mort de l'amour.

– JEUX DE MOTS : le parallélisme des vers 1 et 3 joue sur l'homophonie entre « le joli mai » et « si jolies mais ». La déception amoureuse (amour impossible ou perdu) prive le poète des saveurs du printemps.

Le vers 4 « Qui donc a fait pleurer les saules riverains » offre une syllepse de sens (saule pleureur / pleurer) qui personnifie les arbres et renforce la correspondance entre le paysage rhénan et les sentiments du poète.

– VALEURS MÉTAPHORIQUES : au-delà des métaphores proprement dites, l'ensemble du poème est empreint de valeurs métaphoriques :

La barque sur le Rhin reprend le lieu commun du fil de l'eau symbolisant le fil du temps (cf. *Le Pont Mirabeau*).

Le dernier quatrain tout entier peut donner lieu à une interprétation métaphorique :

Cette strophe se distingue des précédentes par la description d'une nature vivace et pleinement printanière (« paré », « De lierre de vigne vierge et de rosiers », « Le vent du Rhin secoue… », « Et les roseaux jaseurs… »). La luxuriance de la nature est l'image d'une promesse de renouveau qui succéderait au chagrin amoureux, comme en témoigne le symbolisme des éléments végétaux. A la nature de plante vivace du « lierre » et de la « vigne vierge », s'ajoutent les signification mythologiques du « lierre » et de la « vigne » : attributs de Dionysos, dieu du renouveau, du désir et de l'ivresse, ces symboles font écho au titre du recueil *Alcools*, et relèvent du registre du désir, comme du cycle de la mort et de la renaissance (cf. le mythe de l'éternel retour).

La référence aux « ruines » s'inscrit dans cette même polysémie. L'ambivalence destruction / permanence, déjà signalée précédemment peut aussi conduire à lire dans le symbole des « ruines » une mise en abyme de l'écriture poétique : c'est en se fondant sur un héritage classique que celle-ci parvient à se renouveler.

e) Versification

1) Syntaxe

On notera plusieurs particularités syntaxiques :

Le poème débute par une phrase nominale caractérisée par une ambiguïté phonique, puisque le groupe nominal « en barque » peut s'entendre comme « embarque ».

La construction syntaxique du quintil mime le sens en produisant un effet d'étirement et d'allongement : dans les vers 9 à 11, l'apparition du verbe principal « suivaient » est retardée par deux compléments circonstanciels, l'un comportant un double génitif, l'autre un adverbe placé en contre-rejet et par un sujet formé d'une énumération complexe. Dans les vers 12-13, le verbe subordonné est également éloigné de son sujet inversé, ce qui renchérit sur le sens des termes « s'éloignait » et « lointain ».

2) Ponctuation

La suppression de la ponctuation, systématique dans *Alcools*, coïncide ici particulièrement avec la fluidité du mouvement de la barque.

3) Strophes et rimes

Sous des apparences traditionnelles, le poème révèle des licences et des écarts novateurs.

Lors d'une première lecture, seul le quintil témoigne d'une irrégularité à l'intérieur d'un ensemble de quatrains d'alexandrins à rimes embrassées. Cependant, on observe dans le système des rimes une distorsion : montagne / s'éloigne (vers 2 et 3), mai / aimée (vers 6 et 7) et ruines / vignes (vers 14 et 17), sont des assonances.

4) Rythme

Les alexandrins du poème présentent une césure classique à l'hémistiche. Mais, le vers 7 :

Sont les ongles de ce / / / lle que j'ai tant aimée
   3   3   3   3

présente une césure enjambante (césure devant e caduc non élidé), pratique empruntée par les poètes modernes à la tradition médiévale.

Au vers 15 :

De lier / re de vi // gne vier / ge et de rosiers
   3   3   2   4
(diérèse)

Apollinaire joue de la diérèse en se référant à une prononciation archaïque du mot « lierre » que l'on rencontre notamment chez Ronsard.

5) Sonorités

Les deux premiers quatrains offrent une cohérence phonique autour des assonances en (e) et (è), cette dernière sonorité étant annoncée par le titre.

L'unité du quintil se construit autour des assonances en (in) et (an/en).

Le dernier quatrain reprend la dominante phonique des deux premiers, en y ajoutant une assonance en (i).

f) Ton

L'énonciation marquée par le « je » du poète, les connotations affectives dont se charge le lexique (cf. l'étude des champs lexicaux), mais aussi l'omniprésence des thèmes de la nature, de l'amour et du temps, donnent à ce poème une tonalité lyrique.

Clés de lecture

Trois axes dominants ressortent de l'analyse méthodique du poème :

I. La perception d'un temps à la fois linéaire (vie humaine) et cyclique (monde naturel)

II. La nostalgie des amours impossibles ou perdues

III. Le mélange entre un héritage classique et des innovations poétiques

4 – Proposition de plan de lecture méthodique

• *Introduction*

L'harmonie de la nature et du sentiment amoureux est un lieu commun hérité de la poésie du XVIe siècle. Toutefois, dans « Mai », poème extrait d'Alcools, appartenant à la section intitulée Rhénanes, *Apollinaire inverse le symbolisme ronsardien qui associe le renouveau de la nature à celui de l'amour.*

En effet, au gré d'un voyage au fil de l'eau, le poète évoque avec nostalgie des amours malheureuses, dans un paysage printanier paradoxalement teinté de couleurs automnales. Ainsi, ces réminiscences douloureuses s'inscrivent au cœur d'une réflexion sur l'errance, et d'un voyage dans l'histoire de la poésie.

La lecture méthodique pourra s'organiser autour des axes suivants :

I. Une double représentation du temps
1. L'errance spatiale et intérieure
   – Champ lexical du voyage / Valeur métaphorique de la promenade en barque
   – Construction fluide / Absence de ponctuation
   – Structure : unité thématique de chaque strophe / unité phonique
   – Analogie poète / tziganes et cheminement horizontal
2. De l'écoulement du temps au passé révolu
   – Temps verbaux et sémantisme des verbes
   – Construction syntaxique du quintil
3. Cycles naturels
   – Champ lexical de la nature et du temps
   – Paysage automnal au printemps (strophes 1 à 3)
   – Métamorphoses de la nature et espoir de renouveau (strophe 4)

II. Des deuils amoureux
1. La solitude du « je » poétique
   – Énonciation et effacement progressif du locuteur
   – Correspondances affectives nature / poète (paysage état d'âme et tonalité lyrique)
2. Les images de la féminité
   – Champ lexical de la beauté associé au motif de la femme-fleur
   – Vision fragmentée : métaphores et métonymies connotant la mort de l'amour
3. Les figures de l'échec amoureux
   – Amour impossible et amour manqué symbolisés par :
   • la verticalité du paysage
   • le discours direct sans écho
   • les jeux de mots

III. Un jeu entre tradition et modernité
1. Arrière plan mythique et intertextualité
   – Valeurs symboliques de la Rhénanie
   – Connotations médiévales et ronsardiennes
2. Une écriture double
   – Facture classique : alexandrins et thèmes lyriques
   – Licences poétiques : strophes / rimes et assonances / rythme / jeux de mots comme renouvellement linguistique
3. Valeur polysémique des « ruines »
   – Connotations ambiguës : destruction / permanence
   – Symbolisme de la végétation (renaissance et prolifération / strophe 4)
   – Préfiguration d'une écriture alliant tradition et modernité : de la poétique du blason à la vision cubiste de la femme

• *Conclusion*

« Mai », comme d'autres poèmes des Rhénanes, *nous rappelle que l'automne est la « saison mentale » d'Apollinaire, celle qui coïncide le mieux avec le langage secret de son cœur amoureux.*

Cependant, les images finales du poème réinvestissent les motifs de la nostalgie, en les intégrant au mythe dionysiaque et à la quête d'une modernité esthétique à l'œuvre dans l'ensemble du recueil Alcools.

Exercices d'entraînement

I.

Romances sans paroles (1874)   **✶✶**
« Ariettes oubliées » (VII)
Paul Verlaine

O triste, triste était mon âme
A cause, à cause d'une femme.

Je ne me suis pas consolé
Bien que mon cœur s'en soit allé,

Bien que mon cœur, bien que mon âme
Eussent fui loin de cette femme.

Et mon cœur, mon cœur trop sensible
Dit à mon âme : Est-il possible,

Est-il possible, — le fût-il, —
Ce fier exil, ce triste exil ?

Mon âme dit à mon cœur : Sais-je
Moi-même, que nous veut ce piège

D'être présents bien qu'exilés,
Encore que loin en allés ?

Objectif initial de la lecture méthodique

On abordera la lecture de ce poème dans une perspective d'étude de la musicalité de l'écriture poétique.

Questions

❶ Repérez les différents procédés rythmiques, sonores, lexicaux, qui font de ce poème un enchaînement de variations.

❷ Comparez l'organisation prosodique et sémantique des trois premiers distiques avec celle des quatre derniers, et interprétez vos observations.

❸ Étudiez tous les procédés qui concourent à créer la musicalité de cette « ariette » et caractérisez le ton du poème.

II.

Amen, « Langue étrangère » (1968)   *******
Jacques Réda

SEUIL DU DÉSORDRE

J'avais assez d'orgueil pour n'attendre que l'éclatement, le surcroît.
(Commencer est terrible, oui, terrible et défendu,
Hors cette irruption d'oiseaux inconnus qui foudroie.)
Cependant était-ce la foudre, ou bien
Sur cet espace dévasté par ma naissance
L'ordre enfin rétabli dont me saisissait la douceur ?
Mais quel ordre sinon celui du monde innocent avant moi,
Plein de mots non souillés encore par ma bouche, plein
De la présence où je ne fus que porte battant sur le noir ?
Et par là vinrent les longs bras ignobles du noir ;
Par là se sont glissés les yeux d'une nuit dégoûtante
Et qui n'était pas moi mais poussait toujours cette porte.
Là parurent aussi la rose et le bouvreuil que je ne connais pas,
Des animaux à la cruauté douce en moi se coulant vite,
Et le silence où tout s'accorde, neige
Antérieure à la trace funèbre de mes pas.

Objectif initial de lecture méthodique

La lecture méthodique de ce poème pourra être menée dans une perspective d'étude des registres lexicaux et des procédés métaphoriques dans l'écriture de J. Réda.

Questions

❶ Quels sont les mots et les sonorités répétés ? Comment ces effets d'écho sont-ils mis en valeur et permettent-ils la progression de l'écriture ?

❷ Repérez dans l'ensemble du poème les champs lexicaux annoncés par le titre.

❸ Étudiez les métaphores. Quelles expériences et quels enjeux peuvent-elles suggérer ?

V – Essais

Hugo

Préface de Cromwell (1827) ★★★
Victor Hugo

Ainsi, nous voyons poindre à la fois et comme se donnant la main, le génie de la mélancolie et de la méditation, le démon de l'analyse et de la controverse. A l'une des extrémités de cette ère de transition est Longin, à l'autre Saint-Augustin. Il faut se garder de jeter un œil dédaigneux sur cette époque où était en germe tout ce qui depuis a porté fruit, sur ce temps dont les moindres écrivains, si l'on nous passe une expression triviale, mais franche, ont fait fumier pour la moisson qui devait suivre. Le Moyen Age est enté sur le bas-empire.

Voilà donc une nouvelle religion, une société nouvelle ; sur cette double base, il faut que nous voyions grandir une nouvelle poésie. Jusqu'alors, et qu'on nous pardonne d'exposer un résultat que de lui-même le lecteur a déjà dû tirer de ce qui a été dit plus haut, jusqu'alors, agissant en cela comme le polythéisme et la philosophie antique, la muse purement épique des anciens n'avait étudié la nature que sous une seule face, rejetant sans pitié de l'art presque tout ce qui, dans le monde soumis à son imitation, ne se rapportait pas à un certain type du beau. Type d'abord magnifique, mais, comme il arrive toujours de ce qui est systématique, devenu dans les derniers temps faux, mesquin et conventionnel. Le christianisme amène la poésie à la vérité. Comme lui, la muse moderne verra les choses d'un coup d'œil plus haut et plus large. Elle sentira que tout dans la création n'est pas humainement *beau*, que le laid y existe à côté du beau, le difforme près du gracieux, le grotesque au revers du sublime, le mal avec le bien, l'ombre avec la lumière. Elle se demandera si la raison étroite et relative de l'artiste doit avoir gain de cause sur la raison infinie, absolue, du créateur ; si c'est à l'homme à rectifier Dieu ; si une nature mutilée en sera plus belle ; si l'art a le droit de dédoubler, pour ainsi dire, l'homme, la vie, la création ; si chaque chose marchera mieux quand on lui aura ôté son muscle et son ressort ; si, enfin, c'est le moyen d'être harmonieux que d'être incomplet. C'est alors que, l'œil fixé sur des événements tout à la fois risibles et formidables, et sous l'influence de cet esprit de mélancolie chrétienne et de critique philosophique que nous observions tout à l'heure, la poésie fera un grand pas, un pas décisif, un pas qui, pareil à la secousse d'un tremblement de terre, changera toute la face du monde intellectuel. Elle se mettra à faire comme la nature, à mêler dans ses créations, sans pourtant les confondre, l'ombre à la lumière, le grotesque au sublime, en d'autres termes, le corps à l'âme, la bête à l'esprit ; car le point de départ de la religion est toujours le point de départ de la poésie. Tout se tient.

1 – Objectif initial

La lecture méthodique de cet extrait s'intéressera principalement à la visée de systématisation et de stylisation du discours hugolien.

2 – Observation du paratexte

La Préface de Cromwell, publiée en 1827 en tête de ce drame en vers qui ne fut jamais représenté, a une valeur de manifeste en faveur du drame romantique et joue un rôle considérable dans le contexte de polémique littéraire. En effet, les années 1800 à 1827 voient se succéder un grand nombre de traités ou d'articles théoriques prônant un renouvellement du genre dramatique. Au nom du principe fondamental de « la liberté en art » sont récusées les règles de la tragédie classique et revendiqués le mélange des genres et des tons et une esthétique plus réaliste.

Dans cet essai, V. Hugo esquisse une histoire de l'humanité et de l'art distinguée en trois phases — temps primitifs lyriques, temps antiques épiques et temps modernes dramatiques — avant de présenter le drame de *Cromwell*. Il cherche à convaincre son public de la nécessité et du bien-fondé de la dramaturgie romantique telle qu'il l'entend.

3 – Identification du texte

Comme en témoignent les amorces des deux paragraphes (« Ainsi, nous voyons poindre… » et « Voilà donc une nouvelle religion…), cette page offre la généalogie de « la poésie moderne » corollaire, selon Hugo, de l'avènement du christianisme. (Il faut entendre le terme de « poésie » au sens large d'œuvre d'art, conforme à l'étymologie grecque — *poiésis*, « création »).

4 – Mise en œuvre des outils d'analyse

a) Structure

L'extrait se compose de deux paragraphes de longueur inégale, dont la continuité et l'insertion dans l'ensemble de la préface sont assurées par des reprises à forte valeur didactique : ainsi, l'expression, dans le premier paragraphe, « le génie de la mélancolie et de la méditation », trouve sa variante dans le paragraphe suivant « cet esprit de mélancolie chrétienne et de critique philosophique que nous observions tout à l'heure ». De même, l'auteur se réfère, non sans une certaine coquetterie ironique, à ses démonstrations précédentes : « qu'on nous pardonne d'exposer un résultat que de lui-même le lecteur a déjà dû tirer de ce qui a été dit plus haut ».

– Le premier paragraphe, le plus court, introduit l'« ère de transition » entre le paganisme et le christianisme ou, selon la terminologie des « trois âges de l'humanité » exposée dans la préface, entre les « temps antiques » et les « temps modernes ».

– Le second paragraphe développe les principes de l'esthétique moderne. Celle-ci est d'abord définie, à l'aide de modalités négatives et interrogatives, par opposition à l'art antique identifié ici à l'épopée. L'auteur souligne ensuite la rupture introduite par cette esthétique moderne fondée sur le contraste, qui correspondrait autant à la réalité complexe du monde qu'à la conception chrétienne du dualisme, selon le principe de convergence énoncé en une chute lapidaire : « Tout se tient ».

b) Énonciation

1) La voix : qui parle ?

Sous l'objectivité apparente du discours historique se décèle aisément la subjectivité, voire la partialité de la démonstration.

Le pronom personnel « nous » a un double référent : il désigne tantôt l'auteur de la préface dans des propositions métatextuelles telles que « si l'on nous passe une expression triviale » ou « qu'on nous pardonne d'exposer… », « que nous observions tout à l'heure » ; tantôt l'auteur confond sa vision avec celle du public des lecteurs ou de la communauté humaine dans son ensemble : « nous voyons poindre », « il faut que nous voyions grandir ».

On relèvera plusieurs formulations impersonnelles, prescriptives ou généralisantes, qui soutiennent la visée persuasive du discours : « Il faut se garder de jeter un œil dédaigneux », « Il faut que nous voyions grandir une nouvelle poésie ». Cette dernière affirmation va dans le sens d'une conception providentielle de l'histoire, où l'enchaînement des faits et des époques apparaît nécessaire et déterminé par un principe supérieur.

2) Indices d'énonciation

Un assez grand nombre de mots-outils souligne la progression logique et chronologique de l'extrait : « Ainsi », « Voilà donc », « jusqu'alors », « […] d'abord […] mais », « enfin », « c'est alors que », « pourtant », « car ».

Des modalisateurs attestent la présence de l'auteur, notamment lorsque celui-ci recourt à des comparaisons : « comme se donnant la main », « si l'on nous passe une expression… », « pour ainsi dire », « en d'autres termes ».

Enfin, des termes fortement connotés — mélioratifs ou péjoratifs — témoignent des appréciations subjectives du préfacier : « un œil dédaigneux », « triviale mais franche », « sans pitié », « type d'abord magnifique mais […] devenu dans les derniers temps faux, mesquin et conventionnel », « un coup d'œil plus haut et plus large », « la raison étroite et relative de l'artiste », « la raison infinie, absolue, du créateur », « une nature mutilée », « harmonieux / incomplet ».

c) Cadre temporel

1) Temps verbaux

Une assez large palette des temps verbaux de l'indicatif est utilisée, parfois à des fins rhétoriques particulières.

– LE PRÉSENT peut se rapporter au temps de l'écriture (« nous voyons », « si l'on nous passe une expression »), mais il a le plus souvent une valeur de vérité générale, attendue dans un texte théorique à visée persuasive et didactique (« le Moyen Age est enté sur le bas-empire », « comme il arrive toujours… », « Tout se tient », etc.).

– L'IMPARFAIT et le passé composé ont eux aussi une double référence temporelle : soit au temps de l'écriture et de la lecture (« …que de lui-même le lecteur a déjà dû tirer de ce qui a été dit plus haut »), soit au temps passé de l'histoire antique. L'emploi de ces deux temps du passé donne au texte l'aspect d'un bilan, d'un récapitulatif — autant de ce qui a été lu jusque-là que de ce qui, selon l'auteur, a été vécu et conçu dans l'Histoire.

– Enfin, LE FUTUR joue ici un rôle privilégié : tout au long de la seconde moitié du texte (à partir de « la muse moderne verra les choses… »), il est employé avec une valeur de futur historique, consistant à transformer un futur du passé en un futur du présent, ce qui confère à l'exposé une dimension (faussement) visionnaire et un certain souffle épique.

2) Autres indices temporels

Un certain nombre de termes participent de l'expression, prédominante dans cet extrait, d'une évolution historique inéluctable. Il en va ainsi pour les verbes « poindre », « suivre », « grandir », « il arrive », « devenu », « amène », « fera un grand pas », les adverbes et locutions conjonctives « jusqu'alors », « d'abord », « c'est alors que », les expressions « ère de transition », « dans les derniers temps », « point de départ » et, bien sûr, la métaphore filée de la germination.

d) Champs lexicaux et figures de style

N.B. : Dans la mesure où champs lexicaux et figures de style sont ici étroitement imbriqués, on mènera une étude simultanée de ces deux éléments.

Cet extrait de *La Préface* est sous-tendu à la fois par la métaphore filée de la germination et par un éloge de l'esthétique du contraste.

Le paradigme métaphorique de la germination ou de la croissance naturelle est constitué des termes et expressions suivants : « poindre », « en germe », « a porté fruit », « fumier », « moisson », « enté sur », « nouvelle », « grandir ». Cette formulation s'accorde avec la conception chrétienne de la Création qui fait ici l'objet d'interprétations historiques. Elle participe aussi de l'idée d'un principe de vie unitaire qui est suggéré par une comparaison entre poésie et nature : « la poésie fera […] un pas qui, pareil à la secousse d'un tremblement de terre », ou par des personnifications : « une nature mutilée », « si chaque chose marchera mieux quand on lui aura ôté son muscle et son ressort ».

L'emploi du terme figuré de « la muse » commande également une vaste personnification. V. Hugo oppose « la muse épique » à « la muse moderne ». Il fait de celle-ci le sujet d'une révélation esthétique, d'interrogations et d'actions à l'aide des formes verbales « verra les choses », « sentira », « se demandera », « fera », « se mettra à faire ». Ce style imagé vise à conférer une plus grande force expressive et persuasive à l'argumentation théorique.

L'esthétique moderne, selon l'auteur, est fondée sur l'exploitation du contraste qui se trouve ici rapporté à la conception chrétienne dualiste. A l'appui de cette thèse est déclinée une série d'antithèses : « laid » / « beau », « difforme » / « gracieux », « mal » / « bien », « ombre / « lumière », « raison étroite et relative de l'artiste » / « raison infinie, absolue, du créateur », « l'homme » / Dieu », « événements tout à la fois risibles et formidables », « corps » / âme », « bête » / « esprit », « grotesque » / « sublime ». Ce dernier couple fera l'objet d'un long développement dans les pages suivantes de *La Préface* puisque V. Hugo considère le « grotesque » comme le principe fondamental de l'esthétique du drame moderne.

Tel qu'il est ici présenté, cet éloge du contraste a quelque chose d'assez « systématique » pour reprendre un adjectif employé par l'auteur à propos de l'évolution du « type du beau » antique. La démonstration n'est en effet pas sans évoquer une certaine vision manichéenne de l'univers. D'autre part, l'histoire de l'art est simplifiée pour les besoins de la thèse, car l'auteur feint d'ignorer, par exemple, les comiques de l'Antiquité gréco-latine qui faisaient déjà largement recours à certains types du « grotesque », du « laid » ou du « difforme ».

e) Syntaxe, ponctuation, rythme

La dominante de phrases longues et complexes fait d'autant mieux ressortir les quelques phrases simples et brèves, à l'allure de maximes, qui viennent clore ou ouvrir une étape de la démonstration :

– « Le Moyen Age est enté sur le bas-empire » (phrase constituant un alexandrin blanc) clôt le premier paragraphe.

– « Le christianisme amène la poésie à la vérité » énonce un tournant historique tout en servant de transition entre l'évocation de « la muse des anciens » et celle de « la muse moderne ».

– « Car le point de départ de la religion est toujours le point de départ de la poésie. Tout se tient » constituent la clausule du texte.

– Le ton catégorique de ces propositions se retrouve également dans l'unique phrase nominale qui énonce un jugement sur « le type du beau » ancien : « Type d'abord magnifique, mais… »

– La longue série de subordonnées interrogatives indirectes (depuis « Elle se demandera si… » jusqu'à « …incomplet »), juxtaposées à l'aide de points-virgules et scandées par l'anaphore de la conjonction « si », produit un effet énumératif qui mime un réquisitoire. En outre, on y voit à l'œuvre le principe du contraste : dans la mesure où la réponse attendue à chacune de ces interrogations rhétoriques est évidemment « non », celles-ci suggèrent en creux la thèse (ce qu'il convient de faire) en développant l'antithèse (ce qu'il ne faut pas faire).

– On notera un effet d'amplification, particulièrement sensible dans la phrase « C'est alors que […] monde intellectuel » : effet obtenu au moyen du présentatif « c'est alors que » qui retarde et met en relief l'énoncé principal « la poésie fera un grand pas », lequel se trouve ensuite développé par la répétition du mot « pas » diversement caractérisé.

– Enfin, on notera une prédilection pour les constructions symétriques et les groupements binaires : « le génie de la mélancolie et de la méditation, le démon de l'analyse et de la controverse », « A l'une des extrémités […], à l'autre », « Voilà donc une nouvelle religion, une société nouvelle » (remarquer le chiasme), « un coup d'œil plus haut et plus large », « son muscle et son ressort », « tout à la fois risibles et formidables », « cet esprit de mélancolie chrétienne et de critique philosophique ». Autant d'effets de symétrie propres à renforcer l'apparence de rigueur et d'efficacité de la démonstration.

f) Registres et tons

1) Registres

V. Hugo préfacier pratique à sa façon le mélange des registres qu'il préconise dans le domaine de la poésie dramatique. Ainsi se côtoient dans cette page des termes du registre courant, évoquant au sens figuré des réalités ou des actions concrètes (« fumier », « marchera mieux », « fera un grand pas », « se mettra à faire comme »), et des termes appartenant à un registre plus soutenu ou littéraire (« le génie », « le démon », « la muse »).

2) Tons

C'est le ton de l'assertion catégorique, voire dogmatique, qui domine dans cette page. Il s'agit en effet non seulement d'expliquer la naissance de la poésie moderne telle que la conçoit l'auteur, mais surtout de saluer et soutenir l'avènement de nouveaux concepts esthétiques.

Aussi, pour mieux capter l'adhésion du lecteur en faisant appel à son imagination, V. Hugo use-t-il des ressources du ton épique, obtenu ici par les personnifications, les amplifications rhétoriques et l'emploi du futur historique.

Clés de lecture

La grille d'analyse conduit à dégager deux principaux axes de lecture :

I. Une démarche généalogique fondée sur une conception finaliste et unitaire de l'Histoire

II. Une apologie de l'esthétique du contraste mise en relation avec le dualisme chrétien et la complexité du monde

---

5 – Proposition de plan de lecture méthodique

• *Introduction*

Dans les années 1820, le théâtre français est l'enjeu d'une bataille d'idées. Après Mme de Staël ou B. Constant au début du siècle, Stendhal, P. Mérimée et V. Hugo critiquent le code et les règles de la tragédie classique, et prônent un renouvellement du genre dramatique. Ainsi, les débats idéologiques et les théories du drame romantique ont accompagné ou même précédé les productions des pièces elles-mêmes.

En 1827, V. Hugo synthétise ces critiques et idées nouvelles dans La Préface de Cromwell, *drame qui ne fut du reste jamais représenté. Par son style incisif et son aspect systématique, La Préface devient alors le principal manifeste en faveur du drame romantique que Hugo voit comme l'art capable de « réfléchir » la totalité du réel.*

L'extrait proposé esquisse la généalogie du drame moderne dans la perspective finaliste d'une Histoire divisée en trois Temps ayant chacun leurs spécificités religieuses, sociales et poétiques. L'auteur consacre une esthétique fondée sur l'antithèse et le contraste en montrant que celle-ci est conforme à la conception chrétienne de la dualité.

La lecture méthodique développera les axes suivants :

I. Une conception finaliste et unitaire de l'histoire
1. Du « germe » au « fruit »
   – Structure du texte
   – Repères temporels
   – Métaphore de la germination
2. « Tout se tient »
   – Parallélismes entre la religion, la société, l'art
   – Comparaison entre l'art et la nature

II. Apologie du dualisme et ambition d'un art total
1. Argumentation et persuasion
   – Énonciation
   – Syntaxe
   – Simplifications historiques
2. Éloge du contraste
   – Champs lexicaux et figures de style
   – Registres et tons
   – Vision du monde et de l'art : manichéisme ou complexité ?

• *Conclusion*

Le retentissement que connut en son temps La Préface de Cromwell *ne tint pas à la nouveauté des idées énoncées, mais bien plutôt à l'éloquence et à l'habile composition du discours de V. Hugo.*

En cherchant à emporter l'adhésion des lecteurs, l'auteur simplifie, parfois abusivement, l'histoire générale et littéraire. Et surtout il sait employer sa palette de styles lyrique, épique ou ironique, au service de l'argumentation polémique.

Lévi-Strauss

Tristes Tropiques (1955) ******
Claude Lévi-Strauss

Dans Tristes Tropiques, *Claude Lévi-Strauss raconte ses voyages au Brésil et livre les réflexions philosophiques inspirées par son travail d'ethnographe au contact des peuples rencontrés, peuples sans écriture, habituellement qualifiés de « primitifs ». Il entend par cette réflexion remettre en cause certaines conceptions stéréotypées de la « civilisation » dans la pensée occidentale.*

C'est une étrange chose que l'écriture. Il semblerait que son apparition n'eût pu manquer de déterminer des changements profonds dans les conditions d'existence de l'humanité ; et que ces transformations dussent être surtout de nature intellectuelle. La possession de l'écriture multiplie prodigieusement l'aptitude des hommes à préserver les connaissances. On la concevrait volontiers comme une mémoire artificielle, dont le développement devrait s'accompagner d'une meilleure conscience du passé, donc d'une plus grande capacité à organiser le présent et l'avenir. Après avoir éliminé tous les critères proposés pour distinguer la barbarie de la civilisation, on aimerait au moins retenir celui-là : peuples avec ou sans écriture, les uns capables de cumuler les acquisitions anciennes et progressant de plus en plus vite vers le but qu'ils se sont assigné, tandis que les autres, impuissants à retenir le passé au-delà de cette frange que la mémoire individuelle suffit à fixer, resteraient prisonniers d'une histoire fluctuante à laquelle manqueraient toujours une origine et la conscience durable du projet.

Pourtant, rien de ce que nous savons de l'écriture et de son rôle dans l'évolution ne justifie une telle conception. Une des phases les plus créatrices de l'histoire de l'humanité se place pendant l'avènement du néolithique : responsable de l'agriculture, de la domestication des animaux et d'autres arts. Pour y parvenir, il a fallu que, pendant des millénaires, de petites collectivités humaines observent, expérimentent et transmettent le fruit de leurs réflexions. Cette immense entreprise s'est déroulée avec une rigueur et une continuité attestées par le succès, alors que l'écriture était encore inconnue. Si celle-ci est apparue entre le 4e et le 3e millénaire avant notre ère, on doit voir en elle un résultat déjà lointain (et sans doute indirect) de la révolution néolithique, mais nullement sa condition. A quelle grande innovation est-elle liée ? Sur le plan de la technique, on ne peut guère citer que l'architecture. Mais celle des Égyptiens ou des Sumériens n'était pas supérieure aux ouvrages de certains Américains qui ignoraient l'écriture au moment de la découverte. Inversement, depuis l'invention de l'écriture jusqu'à la naissance de la science moderne, le monde occidental a vécu quelque cinq mille années pendant lesquelles ses connaissances ont fluctué plus qu'elles ne se sont accrues. On a souvent remarqué qu'entre le genre de vie d'un citoyen grec ou romain et celui d'un bourgeois européen du XVIIIe siècle, il n'y avait pas grande différence. Au néolithique, l'humanité a accompli des pas de géant sans le secours de l'écriture ; avec elle, les civilisations historiques de l'Occident ont longtemps stagné. Sans doute concevrait-on mal l'épanouissement scientifique du XIXe et du XXe siècle sans écriture. Mais cette condition nécessaire n'est certainement pas suffisante pour l'expliquer.

Si l'on veut mettre en corrélation l'apparition de l'écriture avec certains traits caractéristiques de la civilisation, il faut chercher dans une autre direction. Le seul phénomène qui l'ait fidèlement accompagnée est la formation des cités et des empires, c'est-à-dire l'intégration dans un système politique d'un nombre considérable d'individus et leur hiérarchisation en castes et en classes. Telle est, en tout cas, l'évolution typique à laquelle on assiste, depuis l'Égypte jusqu'à la Chine, au moment où l'écriture fait son début : elle paraît favoriser l'exploitation des hommes avant leur illumination. Cette exploitation, qui permettait de rassembler des milliers de travailleurs pour les astreindre à des tâches exténuantes, rend mieux compte de la naissance de l'architecture que la relation

> directe envisagée tout à l'heure. Si mon hypothèse est exacte, il faut admettre que la fonction primaire de la communication écrite est de faciliter l'asservissement. L'emploi de l'écriture à des fins désintéressées, en vue de tirer des satisfactions intellectuelles et esthétiques, est un résultat secondaire, si même il ne se réduit pas le plus souvent à un moyen pour renforcer, justifier ou dissimuler l'autre.

Outils d'analyse spécifiques pour la lecture de textes à structure argumentative explicite :

On enrichira l'analyse de la structure du texte en dégageant le circuit argumentatif.

– L'auteur s'oppose-t-il à la thèse d'un adversaire ?

Il arrive fréquemment que l'auteur expose une thèse qui lui semble contestable, pour ensuite réfuter celle-ci et avancer sa propre thèse. On peut alors étudier les moyens de mise à distance critique implicites ou explicites de la thèse adverse, en se fondant particulièrement sur le relevé des indices d'énonciation.

– Comment l'auteur expose-t-il sa propre thèse ?

On distinguera la thèse proprement dite, c'est-à-dire le point de vue subjectif de l'auteur sur un sujet donné ; les arguments qui sont les raisons invoquées pour développer et justifier cette thèse ; et enfin les exemples, éléments concrets à valeur soit argumentative soit illustrative.

– La mise en évidence du circuit argumentatif aboutira à déterminer le plan du texte et à reformuler la ou les thèses en présence et leurs arguments.

Cette approche de la structure constitue un préalable indispensable à l'exercice de résumé, d'analyse ou de synthèse de textes argumentatifs, épreuve commune à différents examens ou concours.

On proposera donc à cet effet un plan du circuit argumentatif qui tiendra lieu de plan de lecture méthodique du texte.

1 – Objectif initial

La lecture méthodique du texte sera menée dans la perspective de l'étude des caractéristiques et des moyens propres du type argumentatif.

2 – Observation du paratexte

Tristes Tropiques, publié en 1955 est à la fois le récit des voyages au Brésil de l'auteur et une réflexion sur sa vocation et son métier d'ethnographe. Au contact de peuples sans écriture, Claude Lévi-Strauss s'interroge sur le sens de la civilisation et du progrès, à travers la confrontation de l'ancien et du nouveau monde, et fait le procès de l'ethnocentrisme.

Le titre revêt une dimension provocatrice en s'opposant aux stéréotypes occidentaux qui donnent une vision idyllique de l'exotisme.

3 – Identification du texte

L'œuvre de Lévi-Strauss appartient au genre ethnographique. A l'instar de Michel Leiris dans *L'Afrique fantôme*, journal de voyage publié en 1934, Lévi-Strauss donne une dimension personnelle et subjective à l'écriture ethnographique en rédigeant son essai à la première personne.

Cette page offre une réflexion sur le rôle de l'écriture dans le processus de civilisation sous la forme d'une argumentation polémique.

4 – Outils d'analyse

Il apparaît ici judicieux de modifier l'ordre de l'analyse en étudiant les indices d'énonciation avant la structure du texte. En effet, ces indices permettent le repérage des différentes thèses en présence. En outre, certains outils d'analyse seront utilisés conjointement au lieu d'être dissociés comme lors de l'étude de textes littéraires.

a) Indices d'énonciation

1) Valeur modale du conditionnel, du subjonctif et de l'indicatif

La répartition de l'emploi des modes amène à distinguer le premier paragraphe des suivants. En effet, on relève cinq occurrences du conditionnel présent dans le paragraphe initial : « il semblerait », « on concevrait », « devrait », « on aimerait », « resteraient » ; ainsi que des verbes conjugués au subjonctif plus-que-parfait (« n'eût pu ») et imparfait (« dussent ») à valeur d'irréel du passé. L'emploi du conditionnel et du subjonctif témoigne de la distance critique de l'auteur à l'égard de la thèse qu'il expose. En revanche, les verbes des deuxième et troisième paragraphes sont conjugués à l'indicatif, mode de l'assertion et de la réalité. On note néanmoins une occurrence du conditionnel présent à la fin du second paragraphe « sans doute concevrait-on mal », qui introduit une concession à la thèse adverse.

2) Pronoms personnels et adjectifs possessifs

Le pronom indéfini « on » comporte des nuances de sens, car il renvoie soit à l'opinion généralement admise (« on la concevrait volontiers », « on aimerait au moins », « on a souvent remarqué », « sans doute concevrait-on mal », « si l'on veut mettre en corrélation », « on assiste »), soit à l'auteur qui entend faire partager son point de vue au lecteur (« on doit voir », « on ne peut guère citer » ; dans ces derniers cas « on » équivaut à « nous »).

La seule marque de la première personne du singulier intervient dans le dernier paragraphe sous la forme de l'adjectif possessif « mon hypothèse ». La rareté de la première personne est de règle dans la rhétorique argumentative qui préfère recourir au pluriel de modestie ou aux formules impersonnelles.

Ces dernières sont en effet d'un emploi fréquent : « il semblerait », « il a fallu que », « il faut chercher », « il faut admettre ». Ces formules sont associées à des modalisateurs (sembler) ou au verbe falloir de caractère injonctif.

3) Adverbes modalisateurs

On notera l'abondance des adverbes modalisateurs qui font intervenir un jugement dans l'énoncé : « surtout », « prodigieusement », « volontiers », « au moins », « sans doute », « mais nullement », « ne guère », « n'est certainement pas », « en tout cas », « mieux que », « le plus souvent ». La fréquence d'emploi des modalisateurs renforce l'expression du jugement de l'auteur ce qui lui permet simultanément d'exposer et de critiquer la thèse communément admise quant au rôle « civilisateur » de l'écriture.

4) Liens logiques

Deux grands types de connexions logiques sont utilisés : d'une part, le rapport d'opposition avec « tandis que », « pourtant », « alors que », « mais nullement », « inversement », « mais », et d'autre part, l'expression d'une hypothèse et de sa conséquence dans des propositions complexes : « Si celle-ci est apparue…, on doit voir en elle… », « Si l'on veut mettre en corrélation…, il faut chercher… », « Si mon hypothèse est exacte…, il faut admettre que ».

Ces constructions soulignent l'opposition entre les deux thèses exposées et permettent à l'auteur d'introduire de façon nuancée son point de vue.

b) Structure

La composition du texte en trois paragraphes correspond à une logique de la démonstration. Le premier paragraphe expose la thèse communément admise à laquelle s'oppose l'auteur, ainsi qu'en témoignent les valeurs modales du conditionnel et du subjonctif, les pronoms, les modalisateurs abondants et les liens logiques d'opposition. Le deuxième paragraphe présente les objections destinées à réfuter cette thèse : la phrase initiale « pourtant, rien de ce que nous savons de l'écriture et de son rôle dans l'évolution ne justifie une telle conception » nie explicitement la théorie énoncée précédemment. Ce second paragraphe s'achève sur une concession qui atténue la réfutation : « Sans doute concevrait-on mal l'épanouissement scientifique du XIXe et du XXe siècle sans écriture ». Mais la dernière phrase réitère les réserves de l'auteur (« Mais cette condition nécessaire n'est certainement pas suffisante pour l'expliquer ») et prépare sa démonstration finale. Le troisième paragraphe reprend le présupposé du lien entre « écriture » et « civilisation » mais va l'envisager dans une perspective différente, ce que souligne la proposition « il faut chercher dans une autre direction ». Ainsi ce paragraphe est dominé par un ton assertif propre à la démarche scientifique : « Si mon hypothèse est exacte, il faut admettre que la fonction primaire de la communication écrite est de faciliter l'asservissement ».

c) Champs lexicaux

Deux grandes isotopies structurent le propos :
– L'isotopie du devenir de l'humanité d'une part (« changements profonds dans les conditions d'existence de l'humanité », « transformations », « le développement », « conscience du passé », « capacité à organiser le présent et l'avenir », « progressant », « une histoire fluctuante à laquelle manquerait toujours une origine et la conscience durable du projet », « une des phases les plus créatrices de l'histoire de l'humanité », « l'avènement du néolithique », « innovation », « découverte », « depuis l'invention de l'écriture jusqu'à la naissance de la science moderne », « des pas de géant », « stagné », « l'épanouissement scientifique », « la formation des cités et des empires », « l'évolution typique »).
– D'autre part l'isotopie de la réflexion scientifique (« déterminer », « on la concevrait », « après avoir éliminé tous les critères proposés pour distinguer la barbarie de la civilisation », « ne justifie une telle conception », « attestées par le succès », « on doit voir en elle un résultat », « on a souvent remarqué », « condition nécessaire / suffisante », « expliquer », « mettre en corrélation », « traits caractéristiques », « chercher dans une autre direction », « phénomène », « rend mieux compte », « hypothèse », « admettre », « fonction », « résultat secondaire »).

5 – Circuit argumentatif

L'argumentation suit un mouvement dialectique coïncidant avec le découpage en paragraphes selon le schéma : exposé de la thèse refusée / réfutation de cette thèse / proposition de la thèse de l'auteur.

- **Paragraphe I**

  La thèse réfutée peut être reformulée de la façon suivante :

  L'écriture est généralement conçue comme un puissant facteur d'épanouissement intellectuel de l'humanité et par conséquent de développement de la civilisation grâce aux progrès des techniques et des sciences.

  Ainsi l'écriture serait le critère principal de discrimination entre la barbarie et la civilisation.

- **Paragraphe II**

  L'auteur avance une série de contre-arguments et de contre-exemples (à valeur plus argumentative qu'illustrative) pour réfuter cette thèse.

  L'évolution historique infirme cette hypothèse :

  – Le néolithique, âge sans écriture, a vu des progrès considérables de l'humanité.

  – Certaines innovations architecturales sont associées à l'invention de l'écriture, mais d'autres œuvres architecturales, égales en qualité, ont été réalisées avant ou sans la découverte de l'écriture.

  – En outre, l'écriture n'a pas accéléré le progrès à certaines périodes de l'histoire de l'occident. Elle a certes facilité le progrès scientifique du XIXe et du XXe siècle sans néanmoins déterminer entièrement celui-ci.

- **Paragraphe III**

  L'auteur énonce la thèse à laquelle il souscrit :

  Il existe effectivement un lien entre le développement de l'écriture et l'établissement de la civilisation, mais cette liaison est associée à un enjeu de pouvoir plus qu'à un bénéfice intellectuel.

  L'écriture a favorisé le pouvoir et l'ordre social en générant l'aliénation des individus assujettis au travail. Les bénéfices secondaires, d'ordre intellectuel et artistique, tirés de l'écriture, servent d'instruments destinés à légitimer ou camoufler la contrainte de l'autorité.

- **Conclusion**

  Cette réflexion permet à Claude Lévi-Strauss de combattre les lieux communs et de remettre en cause les vertus civilisatrices de l'écriture.

  En outre, on peut y lire une réflexion critique sur la bonne conscience de l'ethnographie et de l'ethnocentrisme. Cette analyse apparaît ainsi comme une mise en abyme de la propre recherche de l'auteur.

Exercice d'entraînement

De l'esprit des lois (1748)   *
Montesquieu

Dans *De l'esprit des lois*, Montesquieu, s'inspirant des grands penseurs politiques Platon, Machiavel, Hobbes, Spinoza, entreprend une réflexion politique fondée sur l'histoire des sociétés réelles qui se sont succédé dans le temps. La dénonciation de l'esclavage à laquelle il se livre (XV, 5), en l'opposant au droit naturel comme au droit civil, prend l'allure d'un virulent réquisitoire contre une pratique qui contrevient au respect de l'homme.

Si j'avais à soutenir le droit que nous avons eu de rendre les nègres esclaves, voilà ce que je dirais :

Les peuples d'Europe ayant exterminé ceux de l'Amérique, ils ont dû mettre en esclavage ceux de l'Afrique, pour s'en servir à défricher tant de terres.

Le sucre serait trop cher, si l'on ne faisait travailler la plante qui le produit par des esclaves.

Ceux dont il s'agit sont noirs depuis les pieds jusqu'à la tête ; et ils ont le nez si écrasé qu'il est presque impossible de les plaindre.

On ne peut se mettre dans l'esprit que Dieu, qui est un être très sage, ait mis une âme, surtout bonne, dans un corps tout noir.

Il est si naturel de penser que c'est la couleur qui constitue l'essence de l'humanité, que les peuples d'Asie, qui font les eunuques, privent toujours les noirs du rapport qu'ils ont avec nous d'une façon plus marquée.

On peut juger de la couleur de la peau par celle des cheveux, qui, chez les Égyptiens, les meilleurs philosophes du monde, étaient d'une si grande conséquence, qu'ils faisaient mourir tous les hommes roux qui leur tombaient entre les mains.

Une preuve que les nègres n'ont pas le sens commun, c'est qu'ils font plus de cas d'un collier de verre que de l'or, qui, chez les nations policées, est d'une si grande conséquence.

Il est impossible que nous supposions que ces gens-là soient des hommes ; parce que, si nous les supposions des hommes, on commencerait à croire que nous ne sommes pas nous-mêmes chrétiens.

De petits esprits exagèrent trop l'injustice que l'on fait aux Africains. Car, si elle était telle qu'ils le disent, ne serait-il pas venu dans la tête des princes d'Europe, qui font entre eux tant de conventions inutiles, d'en faire une générale en faveur de la miséricorde et de la pitié ?

Objectif initial de la lecture méthodique

L'extrait proposé peut être envisagé dans la perspective de l'étude des procédés propres au pamphlet.

Questions

❶ En vous fondant sur le découpage typographique ainsi que sur la progression logique de l'argumentation, montrez comment Montesquieu bâtit un réquisitoire qui dénonce la logique à laquelle obéissent les esclavagistes.

❷ Quelles fonctions peut-on attribuer à la figure de l'antiphrase dans l'art de conduire le pamphlet ?

❸ A quelles fins l'auteur recourt-il au raisonnement par l'absurde ?

VI–Lecture méthodique de l'image fixe

Grille d'analyse

1 – Nature de l'image

On distinguera au préalable différents types d'images qui détermineront le choix de critères d'analyse spécifiques.

Parmi les principaux types d'images fixes, on retiendra essentiellement : le tableau (œuvre picturale), la gravure, le dessin (artistique ou journalistique) et l'image publicitaire (photographique ou graphique, B.D…).

L'identification du type se révélera fondamentale du point de vue de l'interprétation : la finalité d'une image publicitaire, par exemple, est distincte de celle d'un dessin humoristique ou d'un tableau.

L'analyse de l'image sera donc orientée en fonction du critère de réception de celle-ci, c'est-à-dire de la recherche de l'effet produit sur le public.

On distinguera deux grandes étapes de lecture de l'image :
– analyse de la composition ;
– perspectives d'interprétation.

2 – Outils d'analyse

a) Composition de l'image

1) Organisation d'ensemble

La réception d'une image s'effectue de façon globale et non linéaire comme celle d'un texte. C'est pourquoi l'œil repère d'emblée de grands principes d'organisation, parmi lesquels on peut retenir :

– Les lignes de force : les horizontales, verticales, diagonales et courbes. Les lignes de force permettent de structurer l'espace en se combinant. La diagonale oriente le sens de lecture de l'image, car en créant le mouvement, elle emporte le regard.

– Les points forts : correspondent aux zones qui captent particulièrement le regard et guident la lecture. Taches claires et / ou lumineuses, effets de contrastes lumineux ou colorés, intersections des lignes de force.

2) Perspective

La division de l'espace selon plusieurs plans distincts de plus en plus éloignés crée l'illusion de la profondeur. Cet effet de « troisième dimension » a été découvert par les artistes de la Renaissance italienne.

L'effet de perspective est créé par le dessin, les couleurs et les lignes de fuite. Celles-ci sont constituées de segments de droites suivant la même orientation. En se rejoignant, ces segments reconstituent une droite imaginaire qui aboutit à un ou plusieurs points de fuite, situés sur la ligne d'horizon. Ces points de fuite peuvent se trouver dans ou hors de l'image.

3) Plans et angles de vue

On appelle plan le rapport de proportion entre le sujet représenté et le cadre de l'image. On distinguera ainsi :

– Le plan général ou de grand ensemble (embrasse l'ensemble du champ visuel).

– Le plan large (représente le décor sur lequel se détachent les personnages ou les objets).

– La vue de pied ou plein cadre (représentation globale du personnage ou de l'objet situé au premier plan).

– Plan moyen (portrait en buste).

– Gros plan (focalisation sur le visage ou l'objet).

– Très gros plan (focalisation sur un détail).

Les angles de vue correspondent au rapport entre l'œil et le sujet regardé. La perception du spectateur ne s'effectue pas nécessairement au même niveau que le sujet.

– Vue de face : elle privilégie la fonction phatique, c'est-à-dire le contact entre le regardant et le regardé.

– Vue de dos ou de profil : atypiques, elles suscitent le mystère ou l'effet de menace.

– Vue au niveau du sujet : la plus courante et la plus neutre.

– La plongée et la contre-plongée (vue de haut ou de bas) : ces angles de vue permettent de suggérer un rapport de domination entre le regardant et le regardé, essentiellement quand il s'agit de personnages. Mais les effets sont variables s'agissant de personnages, d'objets ou de paysages.

4) Couleurs et lumières

Le contraste des couleurs souligne et organise la perception des éléments de l'image.

– Contraste clair / obscur : répartition et équilibre des zones claires et foncées. Cet effet participe à la mise en perspective. Cette technique est utilisée aussi bien dans le noir et blanc que dans l'image colorée.

– Contraste chaud / froid : on appelle couleurs chaudes les couleurs proches du rouge (jaune, orange, violet) et couleurs froides les couleurs proches du bleu-vert (jaune-vert, vert, bleu, bleu-violet, violet). Cette opposition résulte d'expériences sensorielles qui ont mis en évidence les effets produits par les couleurs sur le système nerveux.

– Le contraste couleurs froides / chaudes peut également contribuer à la mise en relief ou à l'effet de profondeur.

– Les effets de lumière : l'intensité et la direction de la lumière (directe, diffuse, de face, de trois-quarts, contre-jour) modèlent les contours de l'objet représenté, le détachent ou au contraire le fondent dans l'arrière-plan. Le choix des effets de lumière influe sur l'interprétation dramatique de l'image.

b) Interprétation de l'image

La démarche d'analyse partira du sens dénoté de l'image pour aller vers les sens connotés.

La dénotation comprend les éléments de référence au réel (ce que représente une image figurative) et les éléments de composition présentés ci-dessus. Il convient ensuite d'analyser les effets produits par les procédés utilisés et les diverses connotations. Celles-ci font appel aux implicites culturels autant qu'aux résonances personnelles induites par l'image. Ainsi, la symbolique des couleurs joue un rôle important dans l'élaboration du sens d'une image. Le rouge par exemple pourra selon le contexte signifier le désir, la violence, l'interdit etc.

A l'instar d'un texte, l'image est polysémique et son interprétation fait implicitement intervenir la référence à d'autres images qui entretiennent un rapport d'analogie ou d'opposition avec celle-là du point de vue du contenu, de l'époque, de l'esthétique mise en œuvre, etc.

On s'interrogera également sur la relation entre une image et un texte qui lui est associé (article de presse, slogan publicitaire, légende, titre d'un tableau ou d'une photographie). Ce texte peut se charger d'une valeur référentielle (désignation du référent), explicative (commentaire informatif ou descriptif du contenu), interprétative (proposition d'un sens de lecture qui oriente l'interprétation de l'image).

Ces différentes pistes de lecture de l'image seront rassemblées en une synthèse récapitulative.

En outre, l'analyse interprétative pourra se fonder notamment sur les significations induites par les zones de l'image, dont les schémas ci-dessous donnent un bref aperçu.

LES ZONES DE L'IMAGE SELON LES CRITÈRES OCCIDENTAUX

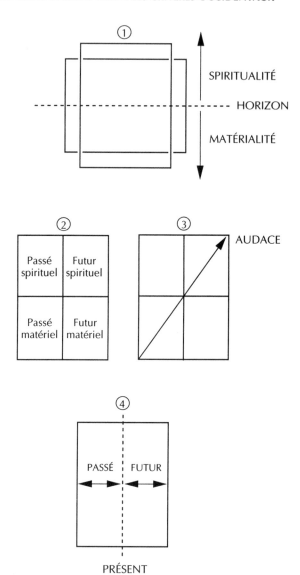

Lecture méthodique d'un dessin humoristique

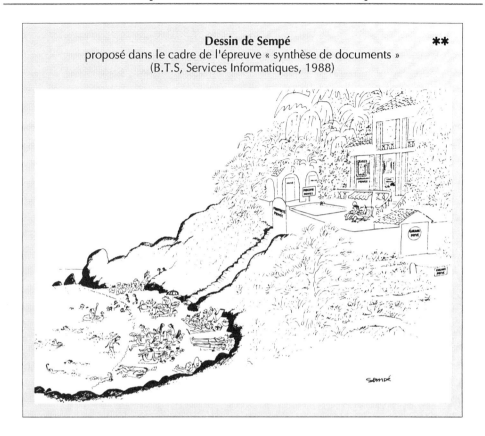

Dessin de Sempé ******
proposé dans le cadre de l'épreuve « synthèse de documents »
(B.T.S, Services Informatiques, 1988)

1 – Nature de l'image

Le nom de l'auteur, ainsi que le type humoristique auquel se rattache le dessin proposé, nous conduiront à en dégager principalement la portée critique et ironique. Le dessinateur représente ici un espace extérieur dominé par une végétation luxuriante, une accumulation d'indices signifiants et de personnages. En bas, à gauche, une plage « populaire » et publique sur laquelle s'amasse une foule désordonnée ; en haut, à droite, un couple de riches propriétaires prenant un bain de soleil sur la terrasse d'une luxueuse villa avec piscine. Le dessin ne comporte pas de légende mais de très nombreuses pancartes portant les mentions « propriété privée », « collection privée », « garage privé »…

2 – Mise en œuvre des outils d'analyse

a) Composition de l'image

1) Organisation d'ensemble

Il s'agit d'un dessin réalisé à l'encre noire sur un support papier.

Lignes de force : si l'on découpe l'image en quatre carrés identiques, on peut observer que le dessin se concentre essentiellement dans le carré supérieur droit et le carré inférieur gauche. La continuité de ces deux espaces est figurée par l'escalier qui suit la diagonale et unit les deux univers représentés. Le carré inférieur droit prolonge la partie supérieure, sans ajouter à celle-ci de nouveaux éléments graphiques. Ainsi, la diagonale structure l'espace en opposant deux mondes séparés par une porte close, sur laquelle figure l'inscription « Propriété privée ».

Le cadre supérieur droit comporte essentiellement des lignes droites qui déterminent des espaces carrés ou rectangulaires, tandis que les lignes courbes dominent le cadre inférieur gauche. On remarque donc d'une part un espace fermé lié à l'habitation, de l'autre un espace ouvert, associé à la nature (la plage, la mer).

Points forts : le dessin crée un contraste entre la zone inférieure (trait épais et gras, presque noir) et la zone supérieure de l'image (trait fin et léger, couleur grisée). Ce contraste renforce l'opposition créée par les lignes de force.

L'effet de perspective est suggéré par le mouvement de la diagonale qui induit le sens de lecture de l'image. Les points de fuite sont situés à l'extérieur de l'image, dans le prolongement de la végétation interrompue par le cadre qui clôt le dessin dans le carré supérieur droit.

2) Plans et angles de vue

Le dessinateur adopte ici le plan général ou de grand ensemble permettant d'embrasser la totalité du champ visuel. En outre, la scène représentée est vue de profil (partie inférieure) ou de trois-quarts (partie supérieure). En outre, le mouvement ascendant / descendant de la diagonale suggère un effet de plongée / contre-plongée.

3) Couleurs et lumières

Le contraste clair / foncé créé par l'épaisseur ou la légèreté du trait qui passe du noir au gris clair met en évidence la séparation infranchissable entre les deux univers représentés : celui des baigneurs d'une part, celui des riches propriétaires d'autre part.

b) Interprétation de l'image

La scène représentée par Sempé s'organise donc autour d'un fort principe d'opposition, à la fois du point de vue de la structuration de l'espace et du point de vue de son contenu. Cette opposition, soulignée par la diagonale de l'escalier, sous-tend une symbolique évidente : en effet, aux couches sociales populaires est associé le bas de l'image, symbole de matérialité, de prosaïsme, de promiscuité, tandis que l'élite sociale, le monde des nantis, évolue dans la sphère élevée et domine de son regard la foule entassée sur la plage. Cependant, la mise en scène de Sempé est saturée de connotations ironiques à l'intention des riches propriétaires. Soucieux de préserver leur espace privé sur un mode caricatural (en témoignent les panneaux aux messages redondants), ils sont prisonniers de leur argent et voués à l'enfermement : les portes sont fermées et leur villa est entourée de murailles. Le dessin suggère avec ironie leur lutte passive contre les envahisseurs. Le luxe prend donc ici l'allure d'une prison dont on ne peut s'évader sous peine de rencontrer ceux que l'on méprise. En outre, l'on devine que la plage située en bas est probablement une ancienne crique privée, devenue publique et désormais envahie par la foule informe. En un sens, au nom de leur refus de la promiscuité, les nantis sont paradoxalement devenus les artisans de leur propre exclusion. Quant aux baigneurs, ils semblent évoluer sur le sable et dans l'eau en toute liberté, dans un espace courbe ouvert sur la mer, et non clôturé par des lignes droites. On peut cependant se demander si l'auteur ne dénonce pas aussi le conformisme des couches populaires qui, sous l'emprise de la démocratisation du tourisme, entendent désormais accéder aux lieux naguère réservés aux nantis ? Les uns comme les autres seraient alors prisonniers de l'idéologie dominante, d'autant que la végétation luxuriante comme les tuiles romaines laissent deviner le paysage de la côte d'azur, région de vacances conformistes et stéréotypées par excellence !

Exercices d'entraînement

I. Lecture méthodique d'une image publicitaire

Publicité pour le parfum « Philéas » de Nina Ricci   *
(référence : Annales B.T.S. 1994)

Objectif initial de la lecture méthodique

L'image publicitaire proposée est destinée à assurer la promotion d'une nouvelle eau de toilette pour hommes, créée par la marque prestigieuse Nina Ricci. La lecture de l'image s'efforcera par exemple d'éclairer les moyens employés par les publicitaires pour séduire les destinataires du message, dont il conviendra également de cerner le profil.

Questions

❶ Analysez les différents aspects de la composition de l'image ainsi que l'interaction entre le texte et la photo.

❷ Montrez que le nom du parfum repose sur un double jeu d'intertextualité qui est partiellement explicité par le dessin figurant sur l'emballage du produit.

❸ Dégagez le portrait-type des hommes auxquels s'adresse ce produit.

II. Lecture méthodique d'une photographie

Photographie de Henri Cartier-Bresson (Paris, 1932)   ******
(Publiée dans « Paris audiovisuel », Association
des Amis du musée Carnavalet, 1984)

Objectif initial de la lecture méthodique

L'analyse pourra notamment s'efforcer de montrer comment le photographe utilise les moyens techniques dont il dispose (plans et angles de vue, effets de lumière…) pour faire surgir la beauté des instants quotidiens les plus banals.

Questions

❶ Analysez les effets produits par le choix du plan et de l'angle de vue. En quoi ces procédés déterminent-ils une perception singulière de l'espace urbain ?

❷ Par quels moyens l'image fixe parvient-elle néanmoins à suggérer l'idée de mouvement ? Étudiez l'organisation des lignes de force, points forts, perspectives ainsi que le jeu des contrastes.

❸ Dans quelle mesure cette photographie vous semble-t-elle rendre compte d'une esthétique qui s'attache à saisir l'instant dans son caractère fugitif et éphémère ?

❹ En confrontant le mouvement des personnages en marche à la représentation de l'espace urbain, montrez que le photographe parvient à suggérer à travers l'image du labyrinthe la trame de destinées individuelles et solitaires.

Glossaires

A – Figures de style

ALLÉGORIE (n. fém.) : mot qu'on emploie pour signifier la personnification d'une notion abstraite. Cette figure est constante dans toute la poésie du Moyen Age. En régression chez les poètes de la Pléiade, on la rencontrera fréquemment au XIXᵉ, notamment dans les poèmes de Baudelaire.
Ex. : dans le poème « L'albatros », l'oiseau des mers figure l'allégorie du poète souffrant.

ALLITÉRATION (n. fém.) : retour d'une sonorité consonantique à intervalles rapprochés, en particulier à l'initiale des mots.
Ex. : *Il n'avait pas de feu dans l'enfer de sa forge.*
(V. Hugo, *Booz endormi*)

ANACOLUTHE (n. fém.) : cette figure consiste à provoquer un écart par rapport à la syntaxe courante. L'effet de surprise accentue la valeur de l'énoncé.
Ex. : *Après boire, l'homme qui regarde la table et qui soupire, c'est qu'il va parler.* (Giono, *Un de Baumugnes*)

ANAGRAMME (n. fém.) : mot ou expression composé à l'aide des lettres d'un autre mot (ou expression) placées dans un ordre nouveau.
Ex. : *Avida Dollars : Salvador Dali.* (A. Breton)

ANAPHORE (n. fém.) : répétition d'un mot au début de plusieurs vers, phrases ou membres de phrases. Cette reprise crée un effet de rythme.
Ex. : *Rome, l'unique objet de mon ressentiment !*
Rome, à qui vient ton bras d'immoler
mon amant !
(Corneille, *Horace*)

ANTANACLASE (n. fém.) : reprise dans une phrase d'un même mot pris dans deux sens propres différents.
Ex. : *Vous vous changez, changez de Kelton.*
(Slogan publicitaire)

ANTIPHRASE (n. fém.) : expression d'une idée par son contraire. On dit le contraire de ce que l'on pense, afin de mieux exprimer ce que l'on pense. L'antiphrase soutient l'ironie.

Ex. : « *C'est du propre !* », « *Elle est ce matin d'une humeur charmante* ». (Expressions courantes)

ANTITHÈSE (n. fém.) : rapprochement, à l'intérieur d'une structure syntaxique, de deux termes de même nature sémantiquement opposés.
Ex. : *Je sentis tout mon corps et transir et brûler.* (Racine)
Prisons : des chaînes pour se libérer. (Le Monde)

APOSTROPHE (n. fém.) : interpellation soudaine, dans le cours d'un énoncé, d'une personne, d'une chose, d'une idée que par ce biais on personnifie.
Ex. : *Bergère ô tour Eiffel le troupeau des ponts bêle ce matin.* (Apollinaire, *Zone*)

ARCHAÏSME (n. masc.) : utilisation d'un mot ou d'une tournure désuets, ou bien totalement sortis de l'usage car appartenant à un état de langue antérieur.
Ex. : *Un pauvre vieux homme.*
(Baudelaire, « Les fenêtres »)

ASSONANCE (n. fém.) : retour d'un même son vocalique à intervalles rapprochés.
Ex. : *C'était à Mégara, faubourg de Carthage, dans les jardins d'Hamilcar.* (G. Flaubert, *Salammbô*)

ASYNDÈTE (n. fém.) : absence de liens (conjonctions de coordination) entre des phrases ou membres de phrases formant un tout.
Ex. : *Le bruit des portes des voix des essieux grinçant sur les rails congelés.* (B. Cendrars, *La Prose du transsibérien*)

CHIASME (n. masc.) : disposition croisée de quatre termes répartis en deux séquences syntaxiques (AB-BA) et réunissant au centre comme aux extrémités des termes de même nature ou de même fonction syntaxique. Le chiasme met en valeur l'union de deux réalités ou au contraire leur opposition.
Ex. : *Ces murs maudits par Dieu, par Satan profanés.* (V. Hugo, *Odes et Ballades*)
Tel qui rit vendredi, dimanche pleurera.
(Racine, *Les Plaideurs*)

COMPARAISON (n. fém.) : elle met en relation, à l'aide d'un outil de comparaison, deux réalités (le comparé et le comparant) appartenant à deux champs sémantiques distincts, dont on affirme la ressemblance.
Ex. : *La nuit noire était doublée de gel, comme le satin blanc sous un habit de soirée...* (J. Gracq, *Liberté grande*)

DIGRESSION (n. fém.) : désigne un propos qui s'écarte du sujet général d'un discours, d'un débat ou d'un écrit dont il interrompt momentanément le cours. Ce procédé est notamment fréquent chez Diderot, qui se plaît à prendre la parole pour interrompre un récit et ainsi frustrer son lecteur.
Ex. : la digression sur le nom de « Bigre » étudiée dans le chapitre « Roman ».

ELLIPSE (n. fém.) : suppression de certains éléments d'une phrase qui demeurent sous-entendus, sans que le sens soit altéré. L'ellipse donne plus de densité à l'énoncé et invite le lecteur à imaginer le non-dit. Elle s'avère particulièrement efficace dans les aphorismes.
Ex. : *Vérité en deçà des Pyrénées, erreur au-delà.* (Pascal, *Pensées, 294*)

ÉNUMÉRATION (n. fém.) : accumulation de plusieurs termes de même niveau syntaxique, coordonnés ou non.
Ex. : *[...] bœufs, vaches, taureaux, veaux, génisses, brebis...* (Rabelais, *Gargantua*)

EUPHÉMISME (n. masc.) : expression atténuée par laquelle on remplace une expression plus brutale, jugée parfois choquante.
Ex. : *demandeur d'emploi* (chômeur), *non-voyant* (aveugle)...

GRADATION (n. fém.) : série de plusieurs termes de même nature et fonction, visant à exprimer une même idée avec une force croissante ou décroissante (gradation ascendante ou descendante).
Ex. : *C'est un roc !... c'est un pic !... c'est un cap ! Que dis-je, c'est un cap ?... c'est une péninsule !* (E. Rostand, *Cyrano de Bergerac*)

HYPERBOLE (n. fém.) : expression exagérée, l'hyperbole crée une emphase et concourt souvent à créer un effet parodique.
Ex. : « *être follement amoureux* » (expression lexicalisée) ; « *Clock House... c'est géant !* » (slogan publicitaire).

LITOTE (n. fém.) : atténuation de la pensée pour suggérer le plus en avouant le moins.
Ex. : *Va, je ne te hais point* [je t'aime]. (Corneille, *Le Cid*)

MÉTAPHORE (n. fém.) : cette figure désigne toute expression imagée qui comporte une comparaison implicite. Elle est fondée sur une relation d'analogie entre deux éléments.
Ex. : dans « brûler de désir », l'emploi figuré du verbe a valeur métaphorique.
Toute métaphore comporte un « thème » (élément comparé) et un « phore » (élément comparant). Ainsi dans l'expression « Tes yeux sont un ciel » on parlera de « métaphore *in praesentia* » car le thème (« tes yeux ») est présent. En revanche, dans l'expression « Le ciel » mise pour « tes yeux », on parlera de « métaphore *in absentia* », car le thème reste sous-entendu.

On parlera en outre de « métaphore filée » pour désigner toute métaphore développée par le recours à un même champ lexical.

MÉTONYMIE (n. fém.) : cette figure ne désigne pas l'être ou l'objet par son nom, mais fait appel au nom d'un autre qui lui est proche. Elle établit une relation de proximité entre deux éléments, en désignant le contenant par le contenu, la cause par l'effet... La métonymie est d'un usage fréquent dans la langue parlée.
Ex. : « *Boire un verre* », « *Boire une bouteille* » (expressions courantes), « *Dormir avec Kenzo* » (les pyjamas de Kenzo, slogan publicitaire).

OXYMORE (n. masc.) : repose sur une alliance de mots de sens contraire à l'intérieur d'un même groupe.
Ex. : *Ma seule* étoile *est morte, — et mon luth constellé*
Porte le **soleil noir** *de la Mélancolie.*
(G. de Nerval, *El Desdichado*)

PARALLÉLISME (n. masc.) : il repose sur l'utilisation d'une syntaxe semblable pour deux énoncés. Ce procédé rythme la phrase et permet parfois de souligner une antithèse. (Disposition de type AB / AB...)
Ex. : *De la fille d'Hélène à la veuve d'Hector.* (Racine, *Andromaque*)

PARONOMASE (n. fém.) : rapprochement de mots offrant une similitude étymologique, rythmique ou phonique. Ce procédé est fréquemment utilisé dans le domaine publicitaire.
Ex. : « *Le ticket chic, le ticket choc* », « *Il n'y a que Maille qui m'aille* ». (Slogans publicitaires)

PÉRIPHRASE (n. fém.) : expression développée qui permet de désigner une réalité sans la nommer avec précision, mais en indiquant partiellement ses caractéristiques. Ce procédé crée un effet d'attente.
Ex. : « *La Venise du Nord* ». (Bruges)

PERSONNIFICATION (n. fém.) : cette figure consiste en l'assimilation métaphorique d'une chose concrète à un être vivant réel, personne ou animal.
Ex. : *Swann n'avait donc pas tort de croire que la phrase de la sonate existât réellement. Certes, humaine à ce point de vue, elle appartenait pourtant à un ordre de créatures surnaturelles et que nous n'avons jamais vues...* (Proust, *Un amour de Swann*)

PRÉTÉRITION (n. fém.) : procédé par lequel on annonce qu'on ne va pas dire ce que l'on dit cependant.
Ex. : « *Je ne dirai pas que...* », « *Il est inutile de rappeler ici...* » (Formules courantes)

PROSOPOPÉE (n. fém.) : elle consiste à imaginer le discours d'une personne morte ou absente, ou même d'une chose personnifiée.
Ex. : *Un soir, l'âme du vin chantait dans les bouteilles :*
Homme, vers toi je pousse, ô cher déshérité,
Sous ma prison de verre et mes cires vermeilles,
Un chant plein de lumière et de fraternité...
(Baudelaire, « *L'âme du vin* »)

SYNECDOQUE (n. fém.) : cette figure consiste à employer, pour désigner un être ou un objet, un

mot désignant une partie de cet être ou de cet objet, ou bien la matière dont il est fait.
Ex. : « *La voile* » (pour le bateau), « *Un toit* » (pour une maison) « *Mon cuir* » (pour *mon blouson de cuir*). (Expressions courantes)

TAUTOLOGIE (n. fém.) : énoncé toujours vrai, reposant sur l'identité du thème (ce dont on parle) et du prédicat (ce que l'on dit du thème).
Ex. : *L'Aventure c'est l'aventure.* (Titre d'un film de C. Lelouch)

B – Termes techniques et notions littéraires

CHAMP LEXICAL : ensemble des termes appartenant à une même réalité, à un même thème ou concept. Un même terme peut cependant appartenir simultanément à plusieurs champs lexicaux.
Ex. : le terme « blanc » appartient au champ lexical des couleurs, du textile, de la pureté…

CHAMP SÉMANTIQUE : ensemble des sens dénotés et connotés d'un même mot.

CONNOTATION : le sens connoté d'un mot, plus subjectif que le sens dénoté, peut être lié à l'expérience personnelle mais aussi à un milieu social ou à un environnement culturel spécifique.
Ex. : le « chat » peut connoter la douceur, la cruauté, l'indolence ou la traîtrise.

CONTRE-REJET : un mot placé à la fin d'un vers annonce un groupe placé au début du vers suivant.
Ex. : *La nuit était lugubre : **on entendait**
Des coups de fusil
Dans la rue où l'on en tirait d'autres.*
(V. Hugo, *Les Châtiments*)

COUPE : chaque accent est suivi en français, d'une coupe (/ ou / /). Dans le type ternaire, on trouve trois coupes principales séparant les mesures. Le type binaire comporte une coupe principale que l'on nomme césure et qui sépare deux hémistiches (demi-vers).

DÉNOTATION : le sens dénoté d'un mot correspond à la définition qu'en donne le dictionnaire.

DIDASCALIE : ce terme désigne les indications scéniques d'une pièce de théâtre.

DIÉRÈSE : lorsque deux voyelles se succèdent, elles peuvent être prononcées en une seule syllabe (Synérèse) ou en deux syllabes (Diérèse). La diérèse est en principe induite par la nécessité de respecter le mètre choisi.
Ex. : Li/on.

DISCOURS : il constitue un dialogue, un commentaire, une explication. Il ne raconte pas mais constitue une prise de parole de l'émetteur. Celui-ci affirme sa présence de façon explicite ou implicite et elle est repérable à travers l'étude des indices d'énonciation. Le discours peut intervenir à l'intérieur du récit : il permet alors au narrateur d'apporter des précisions externes à la narration elle-même, de s'adresser directement au lecteur.

DRAMATURGIE : langage propre au théâtre. Étude du langage théâtral.

EFFET DE RÉEL : c'est l'impression de réalité perçue par le lecteur et qui résulte de procédés divers comme la description ou l'adoption du point de vue d'un personnage.

ÉMETTEUR : dans le schéma des éléments nécessaires à la communication, l'émetteur est celui qui adresse un message au récepteur. Ils entrent en contact en utilisant un canal de communication (voix, écriture, gestes…) et doivent disposer d'un code commun (par exemple la langue française).

ENJAMBEMENT : on emploie le terme d'enjambement lorsque l'unité de sens d'un vers ne correspond pas avec la fin du vers.
Ex. : voir l'extrait des *Châtiments* donné ci-dessus. On note un enjambement entre les vers 1 et 2.

ÉNONCIATION : c'est l'acte de production de l'énoncé. En outre, tout énoncé est émis dans une situation de communication donnée. On appelle indices d'énonciation les traces dans le message ou énoncé, de la situation de communication. Font partie des indices d'énonciation : les adjectifs et pronoms personnels de l'émetteur (je, nous, mon, notre), du récepteur (tu, vous, ton, votre) ; les modalisateurs (verbes : sembler, paraître… ; adverbes : certainement, sans doute, peut-être…) ; les mots valorisants ou dévalorisants ; les repères de temps et d'espace (ou déictiques : aujourd'hui, demain, ici…).

ÉPONYME : personnage d'un livre qui donne son nom au titre.

FICTION : événements racontés dans un roman ou une nouvelle.

FOCALISATION : point de vue à partir duquel sont racontés les événements qui composent un récit. Selon la terminologie proposée par G. Genette, on parlera de :
RÉCIT À FOCALISATION ZÉRO : lorsque le narrateur, placé au centre de l'énonciation, est omniscient, c'est-à-dire qu'il connaît les personnages du dehors (leurs gestes, actions) et du dedans (leurs pensées). La focalisation zéro se rencontre essentiellement dans le récit à la troisième personne.
RÉCIT À FOCALISATION INTERNE : lorsque le point de vue du narrateur se confond avec celui d'un personnage. Ce personnage est connu du dedans et du dehors, tandis que les autres personnages ne sont présentés qu'à travers leurs gestes, actes, paroles. La focalisation interne place le personnage au centre de l'énonciation. On la retrouve principalement dans le récit autobiographique ou le roman à la première personne. Mais elle peut également être utilisée en alternance avec la focalisation zéro, par exemple dans le cadre d'une description assumée par l'un des personnages de la fiction.
RÉCIT À FOCALISATION EXTERNE : lorsque le narrateur occupe la position d'un témoin ou d'un observateur extérieur aux événements. Il ne connaît alors les personnages que du dehors et n'a jamais accès à leurs pensées intimes. Cette technique narrative est utilisée principalement dans le roman américain du XXe siècle.

Ex. : *Des souris et des hommes* de J. Steinbeck.

HYPOTAXE : construction syntaxique qui procède par subordination.

ISOTOPIE : champ ouvert par la redondance d'unités linguistiques.

MISE EN ABYME : l'expression appartient à l'étude des structures du récit et dérive de la science du blason. L'abyme est le nom donné au centre du blason lorsqu'il représente lui-même un autre écu. A propos d'un récit, on parlera de mise en abyme, lorsque des éléments représentatifs sont insérés dans un second récit qui s'intègre à un récit premier.

Ex. : ce procédé est utilisé par A. Gide dans son roman intitulé *Les Faux-Monnayeurs*.

NARRATEUR : distinct de l'auteur, le narrateur — instance abstraite — constitue la voix du récit et correspond à la question qui parle ? Sa présence se manifeste à travers les indices de l'énonciation.

NARRATION : la narration correspond à la manière dont sont racontés les événements dans une fiction. La narration débute avec les premiers mots du texte, tandis que la fiction peut être dotée par le narrateur d'une antériorité par rapport à la narration. Ainsi, les personnages peuvent être introduits avec un passé fictif antérieur au début de la narration. Ce procédé contribue à créer l'effet de réel.

NARRATOLOGIE : étude des systèmes narratifs. Ce terme désigne les études portant sur l'art de mener un récit.

PARATAXE : syntaxe qui procède par juxtaposition ou coordination, ce qui produit un effet de style coupé.

RÉCIT : le récit est une histoire rapportant des événements réels ou imaginaires dans lesquels le narrateur n'intervient pas directement. Le récit peut intervenir à l'intérieur du discours et interrompre son cours pour rapporter, par exemple, une anecdote destinée à illustrer une argumentation.

RÉFÉRENT : élément sur lequel porte la communication entre émetteur et récepteur d'un message.

REJET : on appelle rejet la portion d'unité syntaxique, c'est-à-dire l'ensemble des mots, rejetée après la fin du vers dans le vers suivant.

Ex. : *Horloge ! dieu sinistre, effrayant, impassible,*
 Dont le doigt nous menace et nous dit :
   « Souviens-toi !
 Les vibrantes Douleurs dans ton cœur plein d'effroi
 Se planteront bientôt comme dans une cible. »
(Baudelaire, *Les Fleurs du mal*)

RIME : la rime se définit comme un élément sonore qui ponctue la fin de chaque vers et forme des échos entre deux ou plusieurs vers. Leur présence génère une musicalité qui souligne le rythme. En outre, au XVIIe siècle est imposée l'alternance entre rime féminine (terminée par un e muet) et rime masculine (terminée par une syllabe prononcée). Leur disposition est figurée par les lettres ABCD, etc. Les dispositions les plus communes sont les suivantes :
• Rimes plates : AABB…
• Rimes embrassées : ABBA…
• Rimes croisées : ABAB…

La richesse de la rime dépend du nombre de sonorités vocaliques ou consonantiques homophones. On distinguera principalement :
• Rime pauvre : une sonorité homophone.
Ex. : levé / tirer.
• Rime suffisante : deux sonorités homophones.
Ex. : loup / filou.
• Rime riche : trois sonorités homophones ou plus.
Ex. : mémoire / grimoire.

RYTHME : ce terme désigne le rapport régulier perceptible par l'oreille, entre la répartition des accents dans un énoncé et le nombre de syllabes séparant ces accents. Ce nombre est appelé mesure. Les e muets en fin de vers ou devant une voyelle sont élidés. Un vers peut porter deux, trois ou quatre accents de groupe. A trois accents de groupe correspond un rythme ternaire. La poésie romantique recourt fréquemment au trimètre (trois accents / trois mesures). A deux ou quatre accents de groupe correspond un rythme binaire. Le tétramètre est un alexandrin comportant quatre accents.

SIGNIFIANT : c'est la réalité matérielle du mot, à la fois écrite (graphique) et orale (phonétique, sonore).

SIGNIFIÉ : c'est l'objet ou l'idée auxquels renvoie le mot.

STROPHE : la strophe regroupe un ensemble de vers réunis selon une disposition particulière de rimes et dont l'organisation se répète généralement dans le poème. Elle est séparée des autres ensembles de vers par une ligne blanche. On distinguera notamment : le distique (deux vers), le tercet (trois vers), le quatrain (quatre vers)…

VERS : le poème se distingue de la prose par sa mise en page. Les vers sont délimités par le retour à la ligne et commencent en principe par une majuscule. Le vers se définit cependant avant tout comme un énoncé au rythme identifiable et il comporte un certain nombre de syllabes. Depuis le XVIe siècle, les vers les plus fréquemment employés sont les vers pairs de type octosyllabe ou alexandrin. Les vers impairs, plus rarement utilisés, ont néanmoins tenté des poètes de la fin du XIXe comme Verlaine, qui écrit dans son *Art poétique* :
 De la musique avant toute chose
 Et pour cela préfère l'impair,
 Plus vague et plus soluble dans l'air,
 Sans rien en lui qui pèse ou qui pose.

VERSET : imité de la Bible, le verset est un énoncé poétique dépassant le plus souvent une ligne et signalé par un alinéa. Certains poètes du XXe siècle comme Saint-John Perse ou P. Claudel l'ont adopté.

VERS LIBRE : à partir du XIXe siècle, certains poètes entendent s'affranchir des contraintes et créer leurs propres formes poétiques. Le vers libre, phénomène propre à la poésie moderne, n'obéit plus à un mètre établi et les rimes ne sont plus systématiques. Des assonances en fin de vers le remplacent le plus souvent. En outre, du point de vue rythmique, le vers libre établit un accord entre le vers et la syntaxe et donne une place importante à la reprise de groupes rythmiques et à la disposition typographique. Des poètes comme Rimbaud l'ont pratiqué, mais on peut aussi mentionner Desnos, Eluard…

Table des matières

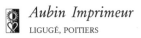
Aubin Imprimeur
LIGUGÉ, POITIERS

Achevé d'imprimer en septembre 1995
N° d'impression L 49999
Dépôt légal septembre 1995 / Imprimé en France